YVES THÉRIAULT

« J'avais un talent naturel de conteur et j'ai écrit », *disait Yves Thériault dans une entrevue. Comment mieux décrire la personnalité de ce grand écrivain, arrivé à la littérature « par la petite porte ». Né à Québec le 28 novembre 1915, il se dit de descendance acadienne et indienne. Il écrit après avoir exercé vingt métiers vingt misères. Mais c'est surtout dans le contact avec la nature et avec les hommes de la nature (Indiens, forestiers, paysans, pêcheurs) qu'il puise le souffle qui l'anime. Depuis son premier livre paru en 1944,* Contes pour un homme seul, *Thériault ne cesse d'écrire :* Aaron, Agaguk, Ashini *et beaucoup d'autres romans voient le jour, sans compter les nombreux ouvrages de littérature de jeunesse qu'il a publiés. Yves Thériault fait figure de phénomène dans notre littérature tant il est prolifique, riche et vivant. Avec sa quarantaine de romans, il a de quoi offrir des plaisirs multiples et variés à tout amateur de lecture. Yves Thériault a reçu plusieurs prix littéraires dont le prix Athanase-David, la plus haute distinction littéraire du Québec, décerné en 1979. Il jouit également d'une renommée internationale.*

LE DERNIER HAVRE

Un vieux pêcheur gaspésien mis à la retraite depuis une dizaine d'années, indésirable pour sa bru, glisse inéluctablement vers sa mort... jusqu'à ce qu'il trouve au Trou-Bourdon une vieille barge qu'il décide de radouber. Pour protéger son secret, il s'y rend tous les matins avant le soleil, transportant le goudron nécessaire aux travaux, et met au point une ruse pour se procurer la voilure qui lui manque, recourant pour cela à des complices, volontaires ou non. La barge, que l'on aurait crue finie, morte, retrouvera un nouveau souffle, celui qui conduira l'ancien pêcheur au large. Ainsi, ayant parcouru une dernière fois les pistes jadis familières, étant raccordé avec ce que fut sa vie, il choisira de mourir, seul dans sa barque, les yeux tournés vers la mer.

Le dernier havre

Yves Thériault

Le dernier havre

Quinze   roman

Collection « QUÉBEC 10/10 »
publiée sous la direction de François Ricard
avec la collaboration d'Annie Creton
est la propriété
des Éditions internationales Alain Stanké
2127, rue Guy, Montréal

Couverture :
Illustration : Ana-Maria Balint
Maquette : ADHOC

© Les QUINZE, éditeur, 1982

Distributeur exclusif pour le Canada :
Agence de distribution populaire Inc.
(Filiale de Sogides Ltée)
955, rue Amherst, Montréal
H2L 3K4
tél. (514) 523-1182

ISBN : 2-89026-297-9
Dépôt légal : 1er trimestre 1982

CHAPITRE

PREMIER

RÉCIT

Depuis mai, je prenais à pied par le bois et par-dessus le cap, et je venais au Trou-Bourdon.

J'y avais caché une barque.

Qu'importe d'où elle vienne, puisqu'elle était là et que je pourrais, dès juin venu, recommencer . . .

Partout sur la Côte, les hommes ont réarrangé les baies, les anses et les caps: ils ont taillé dans le granit et aplani des falaises. Leurs routes sillonnent nos pays, leurs maisons d'asbeste et de brique ont remplacé souvent nos maisons anciennes, couleur de temps mauvais, couleur de mer hurgneuse.

C'est leur droit, mais il reste bien peu des temps d'autrefois, alors que nous allions à la morue en petites barques, que nous revenions plus riches, ou plus pauvres, mais que la mer était à nous et ses rives pareillement.

J'ai trop d'âge, disent tous ceux de ma famille, je ne parle que du passé, j'ai refusé d'apprendre les mots modernes.

Quand passe un chalutier, au large de la maison du fils où il faut bien que j'habite, je crache par terre.

Ils me disent que je suis fou, que c'est le progrès, un chalutier, la marque du temps moderne, la prospérité revenue . . .

Quelle prospérité?

Des chaînes, des pièges, la servitude: appartenir aux grandes compagnies de poisson, pêcher à la tonne, naviguer sur des bâtiments trop gros pour entrer dans la rade du Forillon.

(Vous l'avez vue, cette rade? Un plat d'eau grand pour vingt embarcations, mais solidement faite, qui dure depuis mon âge d'enfant, dans laquelle nous entrions autrefois en chantant, le fond de la barque couvert de morues grasses, de plies, de maquereaux. Le jeune Babin, et puis Horace, Engelbert, le vieux Gaul et ses deux garçons, et moi, et le mari de ma sœur, et mon cousin Réginald . . . Vivre, tu comprends? De la mer et avec la mer.)

J'aurai quatre-vingts ans, me dit-on, quand viendront septembre et les vents d'est transportant du salin; les grands vents qui rasent la côte à niveau d'herbe et couchent le mil sauvage comme s'il était lissé en place par une immense et large main.

Quatre-vingts ans.

Je m'en compte plus, pour ma part, mais je ne dis rien.

Je suis venu des Hauts quand j'avais à peine treize ans, parti des colonies pour venir pêcher. Je me fiais aux récits des survenants qui parlaient des barques. (Ils disaient: "les barges" . . .)

J'aimais déjà la mer sans l'avoir jamais vue.

Tout ce que disaient ces pêcheurs montant des rives pour aller en forêt pour les compagnies, je l'avais bu comme vin de consécration: la couleur de la mer en juin, la grosseur des morues, la bonne senteur du vent, les tempêtes et le doux temps, l'âcreté des fumeries, l'aspect des vignots à perte de vue où séchait la morue salée. Il n'était de passant que je ne retienne par le bras pour me faire dire tout ce qu'il savait des grèves

11

et des caps, de la lumière des phares et des chansons que se chantaient les hommes solitaires, partis vers le grand large dans une barge de mer *pour y demeurer cinq jours et revenir cale pleine.*

J'avais treize ans quand je vis pointer à mon horizon, dans le sentier de forêt que je suivais depuis sept jours, le clocher blanc de l'église de Cap-des-Rosiers.

Et me voici riverain, me voici marin, me voici pêcheur, me voici homme de mer à jamais.

Une septantaine s'est écoulée depuis ce temps; je n'ai jamais regretté d'avoir quitté. Je dis septentaine, ai-je bien quatre-vingts ans? Dans les colonies, on tenait peu de registres. Au moment où je suis né, il s'en fallait de beaucoup que le siècle ne soit révolu. Ce qu'on m'en a dit, j'avais soudain douze ans, puis treize, mais grandeur et force d'homme. N'en aurais-je pas eu plutôt dix-sept, ou dix-huit? Qui sait . . . Quatre-vingts ans aujourd'hui, n'est-ce pas plus près de quatre-vingt-dix qu'on ne le croit?

Tant que bat le cœur et que vient le souffle dans la poitrine; tant que je puis errer dans

12

les pentes les plus abruptes de la montagne, ou du promontoire de la Vieille; tant que je puis dégringoler le cap Bon-Ami avec des jambes de jeune, pourquoi oserait-on me dire vieux? Trop vieux?

Trop vieux pour pêcher.

Trop vieux pour des labeurs.

Trop vieux pour vivre.

Voilà; et on le dit presque. Trop vieux pour vivre, on me le fait sentir. J'ai mon coin dans la cuisine, autrefois — il y a moins de dix ans, moins de cinq — on m'y laissait en paix. Maintenant, ma bru s'impatiente. Elle va polir le parquet neuf et luisant, elle a besoin de ce coin pour sécher une lessive d'hiver, elle a besoin de ma chaise ... Je vais ailleurs, j'erre dans la maison, je reste des heures assis au bord de mon lit ...

Quand vient le doux temps, je sors tant que je peux.

Au début, je n'allais qu'au village, c'est à portée de cri. Je parlais avec d'autres vieux. Eux se résignent, ils m'écœurent. Ils ont renoncé à la pêche, aux barques: je me rends compte qu'ils ne regardent même plus la mer, ils lui tournent le dos. Chaque mois ils tou-

chent la pension du gouvernement. C'est
plus d'argent à la fois, mois après mois, qu'ils
n'en ont jamais tenu dans leurs mains. Ils
donnent cet argent à leur fils, à leur bru, à
leurs petits-fils; ils ont démissionné.

"On a un bon lit, la table trois fois par
jour, du fumage, on veut rien de plus."

C'est d'avoir abdiqué.

Pendant ce temps, les chalutiers sortent
sans eux, sortiront à jamais sans eux. Pourtant, ils ont l'œil pour la mer et la morue, ils
savent d'instinct les bons bancs, ils sentent
le poisson en mer comme le loup des Shick-
shoks hume à cinq milles le sang frais.

Sur les chalutiers, il y a le sonar qui, pré-
tend-on, explore magiquement les fonds,
montre les bancs de poissons, leur largeur et
leur longueur: c'est la science, c'est le progrès. On n'a plus besoin du flair des anciens.
On n'en aura plus jamais besoin.

La vie qui s'écoule.

Je me suis vite lassé d'aller retrouver les
autres vieux de ma sorte. Nous n'avions plus
rien à nous dire. Ils refusent souvent de parler du passé, ils ont oublié le rythme de la
mer. Ils prétendent ne plus se souvenir du

temps des Iles, quand nous allions si loin au large que nous rencontrions les gens des Madeleines et que nous échangions les nouvelles d'un bordage à l'autre. Ils ont tout oublié.

L'an dernier, j'ai découvert une barque échouée dans l'anse à la Vieille, presque au bout du Forillon et de l'autre côté du cap Bon-Ami.

C'était une épave, mais la coque tenait encore; elle n'avait pas trop souffert du soleil, ses bordages n'étaient point pourris, ni sa membrure. Elle avait été une bonne barge de pêche, une embarcation sûre, qui danse comme un bouchon lorsque la vague est revêche et qui connaît quand même les bons usages qu'on attend d'elle: la protection du pêcheur, l'espace de cale où jeter le poisson pris, la docilité de manœuvre et la bonne rentrée au port, le soir venu.

Etait-il mort, ce pêcheur ancien qui avait mille fois quitté un havre à l'aube pour n'y rentrer qu'au bas soleil? Se souvenait-il de sa barque? Et qui donc avait ainsi abandonné une coque à son sort? Quelque fils inconscient? Ou un autre peut-être, un étranger, venu plus tard, acheteur de barges, qui avait trollé pendant un temps selon l'usage, puis s'était embauché sur un chalutier pour laisser ensuite la barge périr, solitaire, sur une grève d'anse quelque part dans les amonts?

Je ne saurai probablement jamais à qui fut cette barge et quelle main en tint la barre. Je sais seulement que celui-là a commis le vrai sacrilège que les anciens de mon sang n'eussent jamais commis: il a laissé partir cette coque à la dérive, et il n'aurait pas dû; car plutôt que de l'abandonner ainsi, il convenait de la brûler, comme on brûle les drapeaux après la défaite.

Mais qu'importe?

La barque est là. D'une certaine façon, son histoire commence peut-être. Elle était échouée, elle croyait pourrir solitaire, elle ne mourra pas.

Pas tout de suite.

C'est son répit, son dernier répit, l'effort ultime.

Son répit à elle, dis-je, et aussi le mien.

Surtout le mien.

16

CHAPITRE

DEUXIÈME

Mon goudron, je l'ai acheté à Rivière-au-
Renard. Mais il a fallu des ruses comme je
ne m'en savais pas capable. Tout se sait,
dans un pays comme le mien. On ne scrute
pas les habitudes, elles deviennent acquises:
ce que j'ai toujours fait depuis mon immobi-
lisation, personne ne s'en préoccupe plus,
sans doute. Et ce n'est pas cela qui me dé-
noncera.

Je vais chercher du fumage au magasin,
deux paquets de tabac Quesnel à la fois. Je
vais dire une petite prière à l'église. Parfois,
j'assiste à la messe de cinq heures avant d'aller souper. Je marche aussi, on dit que je
marche beaucoup. On m'étrive à ce sujet.
De l'anse au Griffon à la Rancelle, en hiver,
quand les chemins sont déblayés. En été,
jusqu'au cap Bon-Ami, voir vivre les touristes, les campeurs qui sont là.

(Ils me parlent, ceux-là venus de loin. Ils
me questionnent. Je leur dis des choses du
temps passé. Souvent, ça les intéresse; ils
sont les seuls que ça intéresse. Ils trouvent

mes dires pittoresques. Je ne fais que raconter la vie, pourtant.)

Je marche, donc.

Je marche beaucoup.

Il paraît que j'ai le pas d'un jeune, des grandes enjambées, les épaules droites. Je n'ai vraiment jamais changé. J'ai vieilli, bien sûr, je n'ai plus mes jeunes os, ni mon jeune sang et je crois bien qu'au-dedans, il y a de l'usure. C'est logique, une barge aussi vieillit, mais si elle reste à l'eau, si elle est calfatée quand il le faut, si l'homme son maître en prend le bon soin et n'en fait qu'un propre usage, elle peut naviguer pendant un siècle. Elle ne pourrira que si on la laisse pourrir.

Moi, je dis que le Bon Dieu est maître des hommes, ses barques à lui, et que s'il en prend tous les soins, alors ils ne vont pas tomber et périr du jour au lendemain.

On m'a atterri presque de force, on m'a enlevé ma barge, amarré à la rive comme une coque finie. Mais pourquoi serais-je fini?

Je marche, oui, je marche, c'est une preuve. En est-il donc tant de ces jeunes qui marcheraient ainsi, cinq milles d'aller, cinq milles de revenir?

Je les connais, les jeunes pêcheurs. Je les vois, à Rivière-au-Renard. Je les vois là, je les vois ailleurs. A Grande-Grave, il y a des Jersais qui parlent surtout anglais. Ils pêchent, en été. En hiver, ils naviguent sur les bateaux loin dans le Golfe, et vers les vieux pays. Il y en a des vieux, qui sont comme moi. On ne les a pas amarrés, toutefois. Chez les Jersais, on a le sens des choses logiques. Un homme qui devient vieux, ce n'est pas mourir, c'est savoir, c'est prévoir. On a besoin de ce qu'ils savent, alors on les garde. Ils sont à bord des barges. Ils ne lèvent plus autant de trolles, ils sont moins ardents à piquer la morue: parfois, ils doivent se reposer un jour sur trois, surtout à la fin, vers novembre, quand le vent essouffle et que ça prend la force des jambes à seulement se tenir debout sur le pont dans la mauvaise mer.

Mais ils sont là.

Et puis, les jeunes, à comparer, ils n'ont pas la même force. Je veux dire, à leur âge, ils ne font pas ce que faisaient les vieux dans le premier temps.

Moi, autrefois, j'ai vu un seul homme virer le treuil à morue. Les quais sont à ras d'eau, à Grande-Grave. Mais la rive est abrupte et grimpe comme un mur. On a bâti les maisons à l'ourlet du chemin. Pour monter la prise du jour, on a fabriqué des treuils qui portent les cages du niveau de mer au niveau de hangar, cent pieds, deux cents, cinq cents pieds plus haut.

Je dis j'ai vu un homme le faire. Pas seulement un, mais à la douzaine, chacun à son treuil. Ces hommes autrefois jeunes sont les vieux d'aujourd'hui. Ils ne virent plus la manivelle du travail, mais les jeunes, leurs fils ou leurs petits-fils, ils se mettent à deux, ou à trois pour virer... Ça dit beaucoup, pour qui veut comprendre.

On vivait dur, voyez-vous. Le manger simple, plein ventre, mais du pareil jour après jour, sans fantaisie. Pas grand-chose qui vienne des magasins. On se couchait au commencement de la nuit, on se levait à sa fin: c'est dire qu'on dormait notre saoul, longtemps, et pour reprendre toute la force perdue. Les maisons étaient froides dans les coins, on se couvrait double par-dessus double, la nuit. Au matin, en sortant du lit, au lieu d'une chaleur lourde, sèche, dans la maison, un bon froid solide qui fait galoper le sang dans les veines.

Mais je reviens à mon goudron.

Et à ce que j'ai dû faire pour me le procurer.

J'avais souvenance d'un mois d'avant: j'avais dérogé. J'étais allé à l'hôtel près du phare, et j'avais pris un "p'tit blanc". Seulement un. Mon premier depuis les Fêtes. Je ne suis pas un buveur, je ne l'ai jamais été. Aux Fêtes, aux noces, dans une occasion, mais faut qu'elle soit conséquente, j'enfile un doigt ou deux de "p'tit blanc", ou de gros gin.

Je suis donc entré à l'hôtel, c'était janvier, le froid bas comme un jusant, humide, à virer la moelle des os en frasil. Un verre, rien de plus, pour pouvoir continuer ma marche jusqu'au trécarré de la Pointe et en revenir. Le même soir, il m'en a été parlé à la maison. On m'a averti qu'à mon âge, j'étais mieux de ne rien prendre à part aux Fêtes et dans les noces. Que, même, j'étais mieux de raccourcir mon trajet que d'avoir à me réchauffer à la buvette de l'hôtel.

Il en faut pas gros pour déclencher le parlage.

Surtout celui des femmes.

Si j'étais passé tout droit devant l'hôtel, pour continuer mon chemin, personne, pas une femme, pas un homme aurait même pu jurer que j'étais sur le chemin ce jour-là et à cette heure-là.

Mais j'ai dérogé à mes habitudes, tout le monde l'a su.

Voyez-vous tout ce qui se serait dit si j'étais allé tout franc acheter du goudron chez le marchand à Rivière-au-Renard?

J'y vas, là, en été, sur le grand quai, voir les chalutiers et les gaspésiennes, les petites barges à deux hommes. Mais j'ai comme on pourrait dire un chemin tracé. Tant que je le suis, ce chemin-là, personne ne fait de cas. C'est si j'en sors, si je me hasarde ailleurs, fais du nouveau, entre où je n'entre jamais, que les langues se mettent à battre.

Aujourd'hui que le téléphone est partout, le commérage est comme un goéland affamé qui voit barboter de la boëtte perdue sur le haut des petites vagues. Le jacassage porte loin.

Mais il me fallait du goudron.

J'avais ma barque secrète, enfin. Elle était échouée. Avant de la remettre à l'eau, fallait que je sois calfat, et pour être calfat, faut du goudron. (L'étoupe, j'en avais un rouleau encore bon, caché sans que personne le sache, sous des vieilles planches dans la remise de mon garçon, au Cap . . .)

Comment faire, pour le goudron? Je veux dire, sans déroger aux habitudes et déclencher la parlotte de toutes les femmes?

Il y a un Bon Dieu pour les vieux pêcheurs comme moi, faut croire, un Bon Dieu qui s'occupe de ceux qui s'ennuient de la mer.

Pour aller à Rivière-au-Renard, je me plaçais pas loin de l'église, ou au garage, près des pompes à essence. Quand arrêtait un homme, en auto, j'allais lui demander de me voiturer par en haut. Des fois je me faisais refuser, d'autres fois, non. J'avais rarement longtemps à attendre.

Comme de fait, c'était par une entremise de même que je comptais avoir mon goudron. Mais on peut rien demander comme ça à un étrange, un passant qui sait rien de nos modes, qui s'en va loin et ne reviendra pas. Je me rongeais d'impatience. Je ne savais pas qui ce serait, mon aide, mais je me disais qu'il en viendrait un, plus connaissant, parcourant journellement nos parages, et qui consentirait.

C'est venu en la personne d'un jeune de Gaspé, pas faraud, pas mal à la main, un bon humain comme il en reste encore par-ci par-là, la marque d'avoir eu un père et une mère avec du cœur.

C'était pas la première fois qu'il m'amenait à Rivière-au-Renard, celui-là. Il conduisait un petit camion pour la mine de cuivre; c'était son affaire d'aller chercher du fourniment lâché au quai de Rivière-au-Renard par les goélettes venant d'en haut.

Il m'a fait monter, et sans lui dire tout en entier, j'ai louvoyé à gauche, à droite, j'ai mis du vent en voile, j'ai relâché, vous savez comment on peut faire. Dire sans dire, révéler un peu, cacher le reste. Finalement, en passant l'hôtel Jacques-Cartier, à l'Anse (au temps d'aujourd'hui, c'est un hôtel bien renippé, vu que c'est un homme de Mont-Joli, dénommé Fournier, qui le tient désormais, et il connaît son affaire. Le monde par ici en dit des grands éloges . . .), donc en passant là, déjà mon affaire allait réussir. Le complot, c'était que je donnais de l'argent au jeune, il allait acheter un petit quart de goudron de quarante livres, et comme il revenait seulement à la brunante, c'était entendu qu'il laissait le quart au carrefour de la Rancelle, caché dans un buisson. Ensuite, je trouverais moyen de m'en emparer à mon profit.

J'ai pas été mesquin, je lui ai donné deux belles piastres pour son trouble, en dessus du prix du goudron.

CHAPITRE

TROISIÈME

*O*n n'a pas idée de la force du temps d'hiver, dans nos parages. Au fin bout de la pointe, à la Vieille, quand le vent de la mer dévore, c'est du grésil, de la neige, de l'air froid comme le fond du Grand Nord, du salin à brûler la peau ... C'est miracle chaque année de retrouver nos roches: on se dit d'un vent à l'autre, entre janvier et mars, qu'il en restera pas une d'être mordues de haut en bas comme elles le sont.

Mais ça surmonte tout, le roc de Gaspésie, c'est dur à plein, c'est tenace. Des fois il y en a qui roulent un peu, se balancent d'un appui à un autre. Des fois aussi que l'eau s'infiltre dedans, on en voit péter au froid et craquer. C'est plutôt rare.

Pour tout dire, leur seul mal, c'est d'être chaque printemps un peu plus lisses, un peu plus repolies: c'est pas déplaisant. Au soleil d'aube, je veux dire quand ça grimpe à l'horizon d'est, un premier filet jaune — on dirait de l'or, — que ça vient caresser les rochers, d'année en année l'image est plus douce, un vrai portrait en couleur.

N'empêche que dur temps après dur temps, janvier, février, mars, c'est pas utile de farfiner sur le bord des rives. J'ai ouï dire une fois d'un vieux qui contait la mort de son neveu, qui était resté une heure de temps sur le quai de la rade du Forillon, à regarder passer un grand bateau au large, une tombée de brunante en janvier. Venant pour sortir de là, il a pas pu, rapport que ses jambes avaient gelé sur place, comme des poteaux plantés six pouces de creux. De la vraie pierre. Rien que le vent d'est! C'était moins passant qu'aujourd'hui, dans le grand froid du temps, le monde s'amarrait au poêle bien solide dans la maison, le dos aux vitres pour pas voir le temps, en faisant semblant de pas entendre brailler le vent dehors.

Il a eu beau crier, le neveu, il a eu beau appeler au secours, dans ce temps-là la maison la plus proche de la rade était à quatre arpents, il avait le vent contre son appel, ça s'est perdu dans la première eau lente, après le frasil du bord. Il est mort là, il a été retrouvé le lendemain matin, planté debout, cloué en place.

C'est rarement arrivé, beau dommage! mais suffit que ça arrive une fois, deux fois, trois fois, pour prouver ce que ça prouve. Il faut pas en demander plus. La chance d'aujourd'hui, c'est pas que le froid soit moins maudit, et encore moins que les jeunes soient plus résistants, mais seulement que les chemins sont passants à plein, des fois jusqu'à minuit sonné. Un homme en péril peut faire des signes et puis crier et être vu et entendu. Ça fait moins de morts, mais le vent a pas changé.

Il changera pas de sitôt.

Le Bon Dieu l'a inventé dur, nous autres, les vieux, on sait que c'est pour le bien du monde. Douze mois de pêche, ç'aurait tué tous les Gaspésiens depuis longtemps. Suffit qu'on s'en donne six mois d'affilée. Avec l'invention du vent froid, le Bon Dieu nous a chassés dans les maisons pour reprendre le souffle. Ce qu'il fait, c'est bien fait, de coutume.

Moi-même, désormais, quand je marche, j'en fais long, selon les jeunes qui sont comme on sait, mais je fais attention de pas aller plus loin que mon possible. Ensuite, si c'est au froid, je reviens à grands pas, je branle les bras, je pousse sur le vent. Faut dire aussi que j'ai des bons corps de laine tricotés. C'est ma vieille qui m'en a fait trois paires, six mois avant de mourir. Comme si elle sentait sa fin et qu'elle voulait me laisser chaudement mis. Des corps comme ça, en laine du pays, tricotés à maille serrée, c'est déjà une grosse protection, hiver comme été. Les jeunes en rient, ils mettent des petites affaires minces comme du papier, pas de manches le plus souvent . . . J'ai fini de leur en parler, ils comprennent pas. Avec mes corps de laine, mes caleçons de laine et coton, ma chemise de flanelle, un surtout tricoté par ma vieille en grosse laine brune, une veste carreautée puis mon gros suroît d'hiver en drap comme du molleton, que je portais pour pêcher et que je porte encore, mon casque à oreilles, mes mitaines et mes bottes, foi d'honneur redoublées deux pouces d'épais j'oserais dire, achetées par mon garçon à Noël il y a deux ans comme étrennes pour son vieux père, j'peux aller loin et braver le pire.

Eh bien! même là, je vous dirai que le

pire, j'fais en sorte de pas le braver plus que de raison. Dans un nordet écœurant comme il en vient, ma sortie de la journée, c'est vitement à l'église pour une prière, une petite demi-heure au magasin à regarder acheter le monde, et je retourne à la maison m'accoter au poêle.

Sachant mon étoupe en sûreté, mon goudron bien caché, la barge au sec, solidement cantée entre deux rochers, à l'abri des coups de vague, j'ai pu passer l'hiver dans mon grand content. Paraît-il que je souriais des fois d'une drôle de manière: ça se disait devant moi maintes fois. Ma bru surtout, des jours que le temps chicanait dehors, elle s'assoyait à la table, face au poêle pour ravauder. Je l'ai vue me regarder à la dérobée, un petit coup, vous comprenez ce que je veux dire?

— Beau-pére, cachez-vous de quoi?

Le cœur me virait bout sur bout. Mais elle pouvait pas savoir, que je me disais aussitôt. Certain en calice qu'elle pouvait pas savoir.

— Moi?

— Vous faites du mystère, beau-pére.

— Ben, voyons donc! Une histoire de fou, là. Laissez-moi donc patience.

— J'vous regarde sourire depuis tout à l'heure. On dirait que vous avez mangé le chat.

— J'mange pas c'bétail-là.

— C'est un dicton, vous le savez ben. Y disent aussi que si les goélands ont l'air de rire, c'est avant de se jeter sur un poisson innocent qui les attend pas.

— Bon, me v'là goéland volant à c't'heure et j'vas picocher le poisson.

— C'est pas ça que je dis. Vous souriez dans votre barbe.

— J'ai le menton tout nu.

— Vous avez l'air d'être coupable, ou ben surtout de cacher de quoi.

(Ha! Ha! Ha! que je pensais en moi, tu sais pas si ben dire . . .)

— J'pense aux bonnes choses de mon jeune temps, ça se peut que je montre du sourire, de même, sans le savoir, sans le vouloir.

Ma bru, une fois que je lui avais répondu de même, a éclaté de rire.

— M'en vas gager, vos vieux péchés qui vous reviennent?

J'ai jamais pris pour péché, pas du péché sérieux en tout cas, d'aimer des belles grosses fesses de fille qu'on va attirer dans la haute herbe pour une petite minute, J'ai fait ça étant jeune, j'm'en suis passé étant vieux, mais ça veut pas dire que j'y pense pas. De nos jours, j'm'en rappelle plaisamment, mais l'excitation est rien que dans l'idée. Paraît-il que c'est la préservation des vieux: autrement, ils se feraient mourir à faire ce qu'ils sont plus capables de faire, on sait ben.

Ma bru pensait que j'avais des sortes d'idées de même, cet hiver-là. Je l'ai laissée penser. Si elle avait seulement su que j'pensais surtout à mon goudron.

Et principalement à ma barge, pour le printemps venu . . .

C'est donc comme ça que l'hiver s'est passé, une journée dans l'autre, comme bercée, chacune d'elles, vous comprenez? Bercée par une petite houle de temps pas méchante, pas fringante, pas crasse.

Moi, je vivais dans mon rêve. J'en ai fait des voyages! J'ai mille fois décosté, mille fois viré vent debout pour sortir du remous de la baie de Gaspé et me retrouver dans l'eau libre. J'en ai mis des caps, dans toutes les sortes de temps! J'ai rêvassé sur de la mer étale comme un jusant de juillet, et je me suis agrippé à la barre comme un forcené sur de la mer hargneuse à hauteur d'homme.

J'ai monté de la voile à plein mât et foi d'honneur! j'ai cru apercevoir les Madeleines!

Ça peut s'avouer, j'ai moins sorti, cet hiver-là. Dans mes entourages, il s'est même dit que je me sentais vieillir, que j'étais moins aventureux, que le froid me gardait dedans . . . J'ai laissé dire.

J'étais pas parlant, non plus, moins que jamais. Encore là, il s'en est trouvé pour jacasser: paraît-il que ça aussi, c'est un signe de vieillesse, s'asseoir à côté du poêle sans parler.

Le temps file vite, on a beau faire. On est lundi que déjà le soleil tombe et mardi se prépare, puis dimanche arrive sans qu'on l'ait vu venir. Certain que ça pas été comme ça toutes les semaines. Je mettrais à part les semaines de dégel — il y en a toujours — quand on dirait que ça sent le printemps. Là, vraiment, j'ai pâti. J'avais des fourmis dans les jambes, j'aurais voulu que toute la neige se dépêche de fondre, pour que je puisse prendre le chemin de ma petite grève secrète. J'étouffais dans la maison, le doux temps me pesait des tonnes sur les épaules. Je suis sorti souvent, ces semaines-là, j'ai marché bien plus qu'à l'habitude. De la place devant l'église jusqu'au Forillon, deux fois par jour, et même trois fois, une journée . . .

A la fin de février le temps dur a repris, je me suis encabané, j'ai attendu encore; il me semblait que ça finirait jamais..

Avril est venu, finalement, puis les bancs de neige ont commencé à rapetisser.

Ça été, cette année-là, comme si le sang m'avait changé de chaleur dans les veines. A savoir qu'il m'aurait bouilli là, en passe d'exploser, on aurait pu dire.

Même étant jeunesse, dans le bon temps, j'ai pas vu un mois de mai pour me secouer le sentiment comme celui-là.

Je me prenais pour un veau de janvier au trèfle pour la première fois. (On n'est pas porté sur l'agriculture dans mes parages. Ce que je connais des veaux de janvier ferait pas un long discours, mais j'en ai vu, déjà, une fois ou deux, et ça m'avait frappé, dans le temps. Je pouvais comparer en sachant de quoi je parlais . . .)

Je gambadais, faut le dire.

Et puis ça s'est vu, on sait bien. Ça s'est remarqué. C'est pas tous les printemps que les vieux se trémoussent comme je me trémoussais. Sève ou pas sève, vient un âge que ça nous secoue pas la constitution avec autant d'enthousiasme. Et comme j'étais pas vraiment assez fin pour jouer le père ralenti, ça s'est répété d'une oreille à l'autre.

Heureusement que le préjugé du monde est plus fort que son intelligence. Ça s'est tout conclu d'un mot, venant de ma bru par-dessus le marché:

— Que voulez-vous? il sent sa mort!

J'ai pris grand-garde de démentir qui que ce soit. Ça les arrangeait que "je sente ma mort", comme ils disaient? Bon. Tant mieux. Ça m'évitait de me calmer, chose qui aurait pas été facile.

Allez pas croire, de la manière que je le dis, que je sautais les clôtures ou que je grimpignais les clochers. D'abord, c'était surtout en dedans, au fond caché, que je me sentais bien. Excité, frémissant, comme de la belle eau calme qui vient soudain s'éparpiller sur du récif. Là, elle se fend, se brise, déchire, devient tout énervée, va et vient, fait de la broue. On la reconnaît plus, on dirait qu'elle est cent fois plus vivante que dans sa partie étale. C'était comme ça en dedans de moi. Comme un tortillement, une chose vivante qui me menait, m'emportait, m'étouffait quasiment.

Du dehors, ça se voyait à peine. Sauf que je marchais plus vite que j'avais jamais marché, et je me trouvais cent mille raisons d'aller ici ou là, j'étais partout, je furetais, j'avais besoin d'écornifler le temps, le vent, le tissu du jour.

Jalbert, du garage, m'a dit:

— Qu'est-ce que vous avez à bretter de même, le père?

J'ai inventé des raisons futiles, contraires à toute mon idée. Il m'écoutait à peine, il a pas cherché à savoir si c'était logique.

Et j'ai pu calmer tant bien que mal mon énervement, en attendant que le chemin se fasse pour rejoindre la grève où dormait la barque.

J'ai eu finalement connaissance d'un bon assèchement de l'air pendant deux jours, du ressorage de la terre, j'ai vu se déshabiller les grèves à ras le village, ça m'a été le signal.

Quel hiver j'avais passé, j'aurais du mal à le dire! Comme l'hiver de mes vingt ans, quand j'avais été en passe de marier la petite Radégonde Savoie, une breyonne de Pokemouche, dans le Nouveau-Brunswick, belle comme la mer de juillet, la conscience blanche, mais la démarche autoritaire. J'en ai pâti des semaines de temps, de décembre au décroît du mois de mars, à me demander si je vivrais ma vie avec un capitaine à tétons qui prendrait la maison pour une barge de mer.

Si j'en parle, c'est que les temps de cette année-là et les temps de cette année-ci se ressemblaient plus que moyennement. C'était de vouloir me soustraire, voyez-vous? Je le dis comme je le pense, à ma façon à moi qu'on prendra pour ce qu'elle est. J'avais Radégonde dans le meilleur du sang, ça me tourmentait comme de l'eau de mer dans une coupure de la peau. Mais le tourment valait pas que je perde raison. C'était ça, le pire, savoir encore penser, décider de mon comportement, puis avoir l'image de la damnée petite breyonne avec ses yeux comme du charbon luisant, sa peau comme un ventre de moruceau ... Bon, en tout cas, laissons faire, vous avez compris. J'ai passé tout un hiver à essayer de me déprendre après m'être pris comme un goéland dans une erse de chanvre tout neuf. Ce que j'ai manigancé pour arriver libre au bout du compte. Ça se laisse à l'imagination d'un chacun, et à sa guise.

L'hiver de la barque, mon vrai hiver, le bout portant de ma vie, ça été d'une façon la même chose, en ce que j'en ai jonglé des moyens que rien puisse se savoir, d'aucune manière, par personne dans le village. On vient à être rusé comme un renard, quand notre mystère a de l'importance. Mon mystère à moi, c'était devenu sérieux comme des battements de cœur et du souffle de poumons. Avoir manqué mon coup, ce jour-là, j'aurais péri, aussi garanti qu'un naufrage de barque quand on sait pas nager. (Vous savez, j'essaie de tout vous raconter ça avec mes mots à moi, en souhaitant que vous aurez la jarnigoine et le bon entendement de comprendre quand même. Je manque des moyens des beaux parleurs et des beaux écriveurs de la ville, ceux qui jugent de loin sans rien connaître, mais qui crient plus fort que les autres. J'ai ouï dire du monde de même une fois ou deux dans ma vie. Paraît-il que ça parle à la radio, dans la télévision, que ça écrit dans les gazettes. Leur manie principale, c'est de refuser que d'autres parlent autrement qu'eux, voient les choses autrement aussi. C'est sûr et certain qu'en par cas de rencontrer un homme comme moi, ils arriveraient à dire que je suis pas vrai. Du folklore, comme ils diraient. C'est vrai qu'à force de vivre dans les grandes villes, les gens comme ça oublient qu'ils sont pas tout seuls . . .)

Vaille que vaille, le printemps est donc venu et j'ai pu m'occuper de ce qui était mon premier souci.

La glace des baies a fini par casser, l'eau s'est mise à descendre des montagnes, le moindre ruisseau a pris du pic et a rachevé de laver les grèves, là où le soleil avait pas fini de tout boire.

Le pays a recommencé à vivre, et moi tout bonnement comme lui.

Mais vivre, pour moi cette année-là, c'était bien autrement des dernières années. Je me rappelle que ma mère avait élevé un géranium des années durant. Au commencement, il était faraud, il était bien tigé, branchu, la feuille vert clair, avec des belles nervures. Une fois fleuri — je pense que c'était la deuxième année qu'elle l'a eu — ç'avait été une belle fleur rouge franc. Dans notre place, des plantes de même, c'était rare. Presquement du butin de riche. Ça venait de toutes les maisons, les femmes surtout, pour prendre connaissance du géranium. C'était un objet rare. C'est pour ça que le jour où la pauvre plante a pris de l'âge, qu'elle s'est mise à dépérir, l'événement a frappé tout le monde. Moi y compris, même si j'étais jeune, dans les sept ou huit ans. Je revois ma mère qui s'affairait à émonder le géranium, à l'arroser plus que de coutume, comme si elle essayait de le ranimer. Puis, des fois, elle le regardait de loin, pendant longtemps et d'un air triste. Elle secouait la tête. Je l'avais vu faire la même chose avec mon grand-père, quand il est venu proche de la mort et puis qu'il s'enfargeait partout en marchant, ou bien qu'il tombait endormi sur sa chaise, en plein jour, la pipe à la bouche.

Un passant, j'ai jamais su qui, étant trop jeune pour faire la différence des gens qui venaient par chez nous et s'en retournaient, aurait dit à ma mère que si elle mettait du fumier de poule séché dur puis égrené dans la terre du pot du géranium, ça causerait miracle. On avait des poules, et le fumier par conséquent. Ma mère a fait ça, et puis ça été un miracle, hardiment. La congrégation des voisines a recommencé comme avant, parce que la plante s'est redressée, elle a repris du vert, les feuilles sont redevenues luisantes. Certainement comme un miracle.

En fin de compte, le miracle a été temporaire, comme on pourrait dire. Le géranium a prospéré tout l'été, mais l'hiver venu, rentré dans la maison à la grosse chaleur du poêle dans le jour, puis au froid de la nuit dans la cuisine, la plante s'est remise à mourir. Là, ça pas été long. Juste le temps de voir Noël, le Jour de l'An et les Rois. Mais piteuse, la pauvre fleur, bien piteuse. Elle a séché bord en bord au commencement de janvier. Bonne à jeter sur le banc de neige.

J'ai conté tout ça pour comparer. Depuis que j'ai arrêté de pêcher, je suis comme le géranium en décadence, pris à dépérir un jour après l'autre. Mais là, avec la barque, c'est pareillement au fumier de poule pour la plante de ma mère. Et je suppose que je savais aussi que ça serait pas un regain pour longtemps. Mon dernier coup. Et si la famille avait su, ç'aurait crié: "Son coup de mort!"

Mais supposez-vous donc qu'ayant trouvé la barque, je la laisserais là sans rien faire?

CHAPITRE
QUATRIÈME

Quand la mer se délivre, je connais rien de plus beau. Des années, ça se produit à la fin d'avril, mais c'est rare. Plutôt mai, le franc milieu de mai. Surtout si la lune est à son plein.

Cette année-là, le frasil est parti le premier, comme c'est normal, juste à la quinzaine de mai sonnée. Le beau temps a tenu, du soleil chaud dru, les glaces ont suivi dans les trois ou quatre jours d'après.

Beau dommage, c'est pas de la glace de rivière ou de lac. C'est pas de la glace à perte de vue au large. C'est parfois juste si on a un arpent et demi, deux arpents de glace franche, ensuite, des fois jusqu'à trois arpents de frasil. Même, des hivers — et des places aussi, selon le courant de l'eau — le frasil vient jusqu'au bord et la mer durcit pas une miette.

Mais on avait eu un hiver dur, les courants avaient été lâches, la glace allait deux bons arpents, le frasil dans le moins six à sept. Pour faire partir ça, il avait fallu à mai, au soleil et au petit vent doux du sud, bien de la volonté, de l'acharnement et de la besogne. Mais ça s'était fait, et un beau matin de mai, bleu comme une robe de Sainte Vierge, on s'est trouvé devant l'eau libre du fin bord jusqu'au grand large. A rien voir devant que de la bonne ondulation douce, une mer verte, pas même le plus petit mouton où qu'on regarde.

Et à terre, du commencement de retigeage, de la plante naissante dans les places à l'abri, et des envies de bourgeons sur les branches. Pas encore le vrai printemps, des menaces de gel avant que mai finisse, mais un bon vouloir de se mettre à l'ouvrage pour nos terres pauvres. C'est toujours bon signe, ça promet un été doux, avec des nuits à peine fraîches.

Toujours est-il que pour ma part, j'avais la générosité de temps que je voulais. Restait qu'à aller voir à mon affaire.

Le pire, ça été le cas du baril de goudron. C'est pas conséquent, pas plus qu'une quarantaine de livres, mais pour transporter quarante livres du carrefour de la Rancelle jusque de l'autre côté du Trou-Bourdon, et sans être vu par-dessus le marché, fallait avoir du chien pas pour rire.

J'ai décidé que la manière, c'était de défaire le baril, de casser le goudron, et de le transporter par morceaux, les plus petits dans les poches, les autres à la main. Et de faire ça avant le premier soleil, dans le temps d'aube, quand c'est encore rien que bleu et avant le jaune du jour. Les rares maisons sur mon chemin, j'avais pas à m'inquiéter trop trop. Les gens d'aujourd'hui sont pas comme ceux de mon temps. Je me suis toujours levé avant le soleil, peut-être parce que, justement, j'ai jamais voulu manquer de le regarder lever à l'est. Mais, de nos jours, ça veille tard, ça se lève tard. Avant six heures, je pouvais circuler fin seul dans les chemins et les sentiers de ce bout-là, personne ne me verrait...

J'ai donc fait ça. C'étaient des durs voyages, à pied, mais des bons voyages. J'ai transporté le goudron, la mèche d'étoupe, un chaudron à pattes pour fondre le goudron, les outils dont j'avais besoin, des clous, des écrous, des noix, même un peu de fer plat en par cas de besoin.

A vrai dire, j'ai tout charrié à main, du

plus petit outil jusqu'à la plus grosse pièce de fourniment. Des matins, j'arrivais à faire jusqu'à trois voyages avant sept heures. Au bout d'une semaine, j'avais tout ce qu'il me fallait, caché dans les alentours du Trou-Bourdon, et j'étais prêt à commencer mon œuvre.

Le plus beau, c'est que personne dans la maison s'est douté que je sortais si matin. Quand ils arrivaient dans la cuisine, ils me trouvaient là, à fumer ma pipe à côté du poêle. Personne pouvait se douter que j'étais à l'ouvrage depuis la première lueur du jour. Et comme j'ai toujours été aussi matinal, ça leur donnait pas un seul indice.

Et moi, mon affaire avançait.

Le seul qui a eu un doute, il était pas de la famille. C'était Philippe Flower, un ancien de Haldimand, au-delà de Gaspé, mais établi au Cap depuis quarante ans dans le moins. Il avait peut-être les yeux plus vifs que d'autres. Ou encore, il a pu me voir revenir du Forillon gros-jean comme je devais avoir l'air, avant le lever du monde, et ça l'a intrigué. Il m'a apostrophé dans le revirant à côté de l'église, tandis que je reprenais du souffle un petit brin, avant de continuer jusqu'au magasin, vu que ma bru m'avait envoyé en commission.

— Le pére! qu'il me dit, Philippe Flower. Aïe, le pére!

On s'entend, c'est pas un jeune. Il a soixante dépassé à plein. Qu'il m'appelle le "pére", ça me mettait sur le grand versant du déclin. Il aurait fallu que je me marisse au premier duvet. J'avais pas grande envie de me laisser divertir, je vous assure.

— Et ben? que je dis.

— C'est vous qui sonnez le soleil, à présent?

— Quoi donc?

— J'vous vois arpenter le canton avant tout le monde . . .

— Et puis?

— Ben, quand on a des entreprises, ça se comprend. Mais à votre âge . . .

— A mon âge, quoi c'est, la différence?

— A votre âge, le monde prend sa paix gagnée. Même se levant matin, on les voit plutôt fariner dans la maison ou bien autour, mais pas galoper d'un cap à l'autre.

— Ça me va de marcher avant le soleil . . .

— C'est un drôle de caprice.

— Mais c'est le mien.

— J'dédis pas, j'dédis pas!

— Bon.

— Seulement, ça fait curieux, c'est toute . . .

— Suivez-moi, Flower, espionnez-moi, Comme de raison, si vous en êtes capable.

Je l'avais toisé de la tête aux pieds, d'une manière insultante. Flower a jamais été costaud, c'est plutôt le genre maigre, jamais bon pêcheur, pas porté sur l'ouvrage, comme on dit. J'étais encore capable de le toiser même à mon âge, et de lui faire honte.

Il s'est trouvé gêné, il a plus semblé savoir quoi dire, il a décroché l'amarre vitement, puis s'en est allé. Apparence, il avait encore de quoi dire, de quoi demander. Sa curiosité était pas satisfaite, ça se voyait. Mais puisque m'ayant pas trouvé serviable, il a préféré rien dire de plus.

Pour moi, la rencontre a été comme une alerte, on sait bien. Le jour même, dans l'après-midi, j'ai fait semblant de rien, je suis monté par la Rancelle, je suis redescendu de l'autre côté du cap Bon-Ami, j'ai longé le bas de la Vieille à ma manière, d'une roche à l'autre, j'ai vivement passé Indian Cove, puis au Trou-Bourdon, vu que c'était à bonne eau, j'ai caché mes outils bien au noir dans la grotte. La barque était toujours là, sur l'esker de la marée basse, coincée à pas bouger dans le plus haut du flux, il n'y avait pas de mal à la laisser là pour l'heure.

Quand je suis revenu au village, j'ai prétexté une longue marche parce que le temps était encore plus beau qu'avant, et tout le monde m'a cru. A vrai dire, j'ai mieux dormi de savoir mon drégail à l'abri des écorniflages de Philippe Flower.

Cherche aussi ce qu'il a pu dire d'un bord et de l'autre, au sujet de mes sorties matinales . . .

A vrai dire, j'avais le temps devant moi. C'était pas une tâche pour demain, radouber le bateau, je pouvais faire des a-semblants, des accroires, mêler le monde, brouiller les pistes, comme ça se dit. Le lendemain matin, je me suis levé comme d'habitude, mais quand je suis sorti de la maison, ça été pour m'acheminer dans une autre direction. Ceux qui avaient envie de m'espionner dans le demi-jour, ils en avaient pour leur argent. Au lieu d'à droite, j'ai pris à gauche. J'ai marché, ma foi, jusqu'à l'anse au Griffon, et même jusqu'au Trécarré. De quoi les faire baver.

Quand je suis rentré à la maison, tout le monde était déjà debout, plus tôt que de coutume. J'ai jamais su s'ils m'avaient espionné ce matin-là, mais chose certaine, ce qui se voyait sur les visages, c'était pas de la grande bienvenue.

C'est ma bru qui a été la plus bête, mais c'est dans son caractère.

— Là, vous sortez le matin, avant qu'on se lève?

J'ai pas répondu, j'ai appris jeune que jeter de l'huile sur un feu, c'est pas à faire.

— Hein! vous sortez?

J'ai fait oui de la tête, mais pas assez franc pour que je puisse pas me dédire s'il le fallait. Vous voyez ce que je veux dire . . .

— Il vous arrivera de quoi, personne pour vous porter secours.

Secours? Elle en sortait des bonnes, la belle bru. A mon âge, le secours, c'est presquement jamais autre chose que du répit. Et le répit, qu'est-ce que ça vaut? Quand on se détraque, nous autres les vieux, c'est détraqué bord en bord. Périr dehors, au moins on peut tourner les yeux vers la mer.

— Venez déjeuner, votre manger est sur la table, ça va froidir.

Le souffle de vent était passé. Comme je connaissais ma bru, j'aurais pas à mentir ce matin-là. Et Dieu le fasse, aucun autre dans l'avenir. Mais j'ai bien dit "Dieu le fasse", et Dieu fait pas toujours à notre idée, mais plutôt à la sienne.

J'ai mangé, j'ai même mangé gros, parce que le souffle m'était revenu et l'estomac était creux. On sait ben, marcher jusqu'au Trécarré, l'un portant l'autre, c'est plus loin que d'aller au Trou-Bourdon, que j'aille aboutir au chemin de la Mine ou que je fasse le grand tour par le Seal Reef et la Vieille. Pas mal plus loin, j'oserais dire. Ça débâtit un homme, il a besoin de se ravitailler ensuite.

Donc, j'ai mangé mon saoul, pendant que la famille me regardait d'un air soupçonneux. Faut leur donner ça, ils me connaissent, et pas un seul aurait osé continuer les questions. Je connais d'autres vieux dans le village — tiens, Philippe Flower en est un! — que leur famille, advenant un changement de roule comme je semblais en avoir commis, ça se serait jeté sur lui comme des chiens de mer sur le caplan, questionne par ci, questionne par là, pousse au pied du mur, harcèle à rendre braque! J'ai toujours eu mon autorité, puis quand j'ai tout lâché pour me donner à mon garçon, le dire a été dit de bouche à oreille dans toute la maison, que j'avais la réplique drue, qu'il fallait pas m'estipoler. J'ai moins parlé là que j'aurais parlé dans mon propre chez-moi, bien sûr, et ça se comprend. Parlant moins, laissant pas de prise aux questions, allant à mon affaire toutes les heures du jour, j'ai pu inquiéter la bru, on s'en doute, mais elle a eu le génie de se la fermer six fois sur sept. Et j'ai eu la paix.

Pourquoi, direz-vous, les précautions au sujet de la barque? Si vous avez vos allées franches, pourquoi craindre? J'ai pas de grande réponse savante à ça. Pour dire le vrai, je prévenais le danger, j'allais au-delà de la prudence. En mer, on apprend à pas se pavoiser de voilure quand le vent vient nordet et par rafales basses. On chavirerait pas nécessairement, mais personne va prendre de gageure là-dessus. Disons qu'en se respectant, le vent et nous, on arrive à s'entendre sans se casser la gueule sur les falaises. Ni lui, ni nous autres. Ça s'appelle jouer au plus fin. En question de la barque et de ma famille, surtout de ma bru, je jouais au plus fin.

Comme ça, je finirais mon entreprise, j'aurais pas eu à trop mentir, et m'arrivera ce que pourra.

Personne niera la justesse de mon raisonnement.

Le lendemain, je suis parti encore avant le soleil. Je suis pas allé au Trécarré, mais je suis pas plus allé au Trou-Bourdon. J'ai passé par le Forillon, j'ai marché dans le terrain de camping du cap Bon-Ami, en faisant le touriste, le vrai. Il me manquait les beaux habits de catalogue, un kodak, mais pour le reste, les manières, la façon de marcher, de tout regarder, de humer, de sentir, de contempler, j'en étais un vrai.

Je suis resté une grosse demi-heure à contempler la mer du haut du cap. Mais là, j'avais pas besoin d'être touriste pour voir comme c'était beau . . .

A force de ruser quatre ou cinq matins de suite, j'ai apaisé tous les derniers soupçons qui restaient. En ce qui était de ma famille, des voisins, de nos proches, des autres gens du village — vu que les commérages courent comme la senteur de bête puante — j'étais un vieux maniaque qui se promenait au petit jour comme si c'était au soleil de midi.

Il s'est conclu que, proche de ma mort comme j'étais, je virais tranquillement fou.

Vous pensez bien que je suis pas allé les démentir. Imaginez, si seulement ils avaient su la vraie vérité, j'aurais été déclaré fou à enfermer au plus vite.

Au juste, il m'a fallu la semaine, en décomptant le samedi et le dimanche, avant que je me sente rassuré. J'avais pas eu d'espion, à ma connaissance. Si quelqu'un m'avait suivi de loin, il avait maudittement réussi à pas se faire voir. J'irai pas jusqu'à dire que c'était impossible de m'espionner, mais il aurait fallu un vrai talent d'acteur dans les vues pour y arriver. J'ai encore l'œil vif, et j'ai pas manqué de me retrouver sec six ou sept fois, pour surprendre un quelconque suiveux qui me guetterait de loin. J'avais rien vu, et puisque personne me questionnait sur mes promenades du matin, j'ai déduit, et déduit juste par-dessus le marché, que je passais pour fou, pas pour menteur.

Et le lundi, je me suis remis à mon projet.

CHAPITRE
CINQUIÈME

*U*n vieux qui a une lubie comme moi avec ma barque échouée, ça inspire pas grand-confiance. Je veux dire que dans le courant de la vie, on peut être porté à prendre ses jugements pour des faussetés, au moins pour des rêves, rapport à sa façon de raisonner.

Raisonner, en ce bas monde, vous savez ce que c'est? Pourvu que vous pensiez comme tout le monde, le plus niaisement possible, c'est ça, raisonner. Jour après jour, vivre de la même manière; jour après jour, penser comme pense le voisin, faire attention pour pas avoir une idée un peu audacieuse, un peu risquée, un peu plaisante. Oui, j'ai bien dit plaisante. Se conformer, marcher dans les traces du premier qui a marché, prendre garde de pas voir le beau du temps ou la grâce des fleurs, fuir tout ce qui pourrait être étrivant ou tentant, c'est ça, vivre, pour la plupart des gens.

C'est pour ça que nous autres, les vieux, souvent on scandalise le jeune monde en disant justement le contraire de ce qu'ils voudraient nous entendre dire. Quand la mode des jupes courtes pour les filles est venue, savez-vous que j'ai été un des premiers à approuver ça? Et pas le seul, parmi les vieillards de la Côte. Beau dommage, il était temps qu'on voie un peu comme c'est fait, une belle jeunesse qui sent bon!

Une autre fois, ça été la question de la religion dans les écoles. C'était pas drôle dans ma maison. Comme ils disaient, le gouvernement ôtait le crucifix dans les classes, c'était le commencement de l'antéchrist, le monde s'en allait à la ruine, nos enfants seraient des renégats . . .

Ma bru, surtout, qui a pourtant pas plus que quarante-deux, quarante-trois! Non, sa fille était pas pour porter des jupes rase-trou — une jolie petite de quatorze ans dans le plus — et scandaliser la paroisse. Puis elle, ma bru, elle personnellement, elle irait jusqu'au Premier ministre s'il le fallait, mais la religion reviendrait dans les écoles.

Moi, j'écoutais ça en riant.

— Vous pensez pas, que j'y ai dit, que dans notre jeune temps, il nous a été enseigné assez de simagrées, de niaiseries qui passaient pour de la religion, tandis que la vraie religion, personne la connaissait?

— Ben, c'est effrayant, entendre un homme de votre âge parler de même. A deux pas de la tombe! Vous avez pas peur d'être foudroyé sur le coup par le Bon Dieu?

— Le Bon Dieu est bon, justement . . .

— Beau-pére, attention à vos paroles.

— Oui, justement, il est bon, il sait que j'ai raison. A votre place, j'aurais encore plus peur! . . .

— Qu'est-ce que vous avez envie de dire?

— Que l'hypocrisie, ça jette le monde en enfer plus que la vérité regardée en face . . .

— Comme ça, j'suis hypocrite?

— Ma fille, vous vous objectez à ce que Colette porte la jupe courte . . .

— Oui, scandale!

— Vous voulez le crucifix dans l'école . . .

— Ben, c't'affaire, j'ai pas raison? On est catholique ou ben on l'est pas . . .

— Seulement, le samedi soir, vous passez ça à l'hôtel avec Georges, à prendre de la biére et à conter des histoires cochonnes.

C'est là que vous avez l'air le plus dans votre élément!

— Vous m'insultez, beau-pére!

— Non, je dis la vérité. C'est souvent insultant à demeure, la vérité . . .

— Je cours pas les hôtels.

— Non, vous allez toujours au même, à tous les samedis soir, argent pas argent, parce que boire à crédit, ça vous fait rien!

— Jamais j'ai rien entendu de pareil . . .

— J'aime encore mieux que Colette montre un peu ses belles petites fesses, en bonne créature du Bon Dieu, qui est bon pas pour rire d'en avoir fait une semblable, et puis j'aime mieux voir les enfants apprendre la religion convenablement, du fond du cœur et puis honnêtement, que de vous entendre raisonner, ma bru!

C'est bien entendu que des conversations de même, ça jette pas la sérénité de tout bord et de tout côté. J'avais entendu l'avis des autres vieux, ils pensaient comme moi, et je pouvais me consoler en pensant qu'eux autres aussi ils avaient dû scandaliser leur entourage . . .

Tout ça pour dire que nous autres, les vieux, loin d'avoir les idées aussi ankylosées

70

que les genoux, on est souvent rendu au point où on voit plus clair que bien des jeunes, et que le vrai progrès, on le salue avec plaisir . . .

Et que même si on semble radoter, on a le plus souvent cent fois de lucidité comme les gens pris dans la routine, qui ont peur de penser par eux-mêmes, au cas où ça serait mal vu.

Partant de ça, on sait aussi se servir de l'expérience passée, de notre savoir, de nos compétences, même si les plus jeunes prétendent qu'on est fini. Ce qui est fini, c'est la vaillance, je m'en vas le concéder, la force du muscle, la vitesse du geste, la sûreté des pieds sur un pontage de barque, mais pas la tête, pas l'idée. On peut pas entasser du savoir pendant cinquante, soixante ans, et même plus, sans qu'il en reste à la main le temps venu qu'on en a besoin. Pêcheur toute ma vie, j'en avais appris.

Une barque, par exemple, je connaissais ça. Peut-être bien qu'un chalutier, j'en étais ignorant. C'est logique, puisque les chalutiers sont venus sur le tard de ma vie et que j'ai jamais vogué là-dessus, mais en question

71

de barge de terre ou de barge de mer, j'étais pas à battre.

Une barge de terre, c'est une petite barque courte, de vingt-cinq à quarante pieds, faite pour aller proche du bord, pas plus que deux ou trois milles au large, avant les grandes vagues creuses. Par beau temps, une barge de terre allait bien cinq milles au loin, mais fallait vrai beau temps, bon vent, et la promesse que ça tienne.

La barge de mer était plus conséquente. Il y en avait de soixante, soixante-dix, des fois soixante-quinze pieds. Le patron embarquait cinq hommes à bord et on partait pour la semaine des fois, jusque loin dans le Golfe. Six années de file, je suis même allé jusqu'aux bancs du Labrador avec ma barge de mer. C'est pas à la porte, on avait l'impression d'entreprendre le tour du monde!

La barge échouée était une barge de terre, trente-six pieds de long de proue en poupe. Elle avait été une bonne embarcation, et elle l'était encore. Et ça, c'était quelque chose que je connaissais!

Pour un pas connaissant, un homme de la ville, il l'aurait cru finie. Elle prenait l'eau, mais c'était d'avoir trop séché sur la grève, le bordage était désembouti. La langue de proue était un peu pourrie, mais c'était au bout seulement, le reste, là où ça compte, était sain et solide. Les membrures tenaient ferme, aucune de pourrie, le pontage était moins bon au milieu, mais il suffisait de ferrer un ou deux travers et de reclouer les autres pour que ça tienne en masse pour mes usages.

Je me suis mis à l'ouvrage un matin clair comme de l'eau de roche.

En premier, il fallait que je répare le pontage. On commence par le bois, le calfatage vient en dernier.

Par chance, le mât était bon, parce que le moteur l'était pas. C'était un ancien moteur à roue d'aire, un seul cylindre, et j'ai eu beau m'acharner, jamais il a voulu partir. J'ai fait tout ce qui était à faire, et que j'avais appris en quarante ans, mais le vieux dicton tenait, qu'on perd son temps à vouloir faire partir un moteur qui est fini, qui est mort, qui a fait son temps. L'usure vient qu'elle gruge tout le dedans, et la compression s'en va. Par conséquent, l'étincelle se fait pas . . .

Restait que j'avais un bon mât, mais fallait de la toile à voile . . .

Je me suis plutôt mis au radoub de la coque, pour me donner le temps de réfléchir quant à la voile.

Fallait que j'y pense, et que j'y pense creux. Pour faire aller une barque de proche quarante pieds, ça prend dans le moins deux cent cinquante pieds carrés de voile. Trois cents, ça serait mieux. Et je parle seulement de la grand-voile. Pour bien faire, faut aussi une petite voile au beaupré, un foc qu'on appelle ça. Pour mieux manœuvrer, pour que ça aille sur l'eau avec finesse et bon vouloir.

Or donc, associé, ça se trouve où et comment, de la toile à voile d'une pareille grandeur? Ça fait belle lurette que les magasins de Gaspé ou de Rivière-au-Renard ont abandonné de vendre de la toile à voile. Paraîtrait-il qu'à Percé — et même à Gaspé — il s'en vendrait de la mince, pour les embarcations de plaisance. Ça pourrait jamais faire sur un bateau comme le mien, ça déchirerait à l'effort. La vraie toile, ma foi d'honneur, j'étais bien embêté de savoir la dépister.

Mais en travaillant le bois de la barque, j'ai ruminé l'affaire, je me suis creusé les méninges. Dans nos alentours, j'aurais gagé qu'il y aurait de la toile serviable quelque part. Mais où? Et c'était pas une chose à demander de but en blanc à un citoyen. Vous imaginez ce qui se serait dit:

"J'pense à ça, t'aurais pas par hasard un bon restant de toile à voile dans ton hangar?"

"Ça pourrait arriver."

"Elle serait ... quelle grandeur?"

"Quelle grandeur que ça te prendrait?"

"Dans les trois cents pieds carrés. Plus même, si tu l'as."

"J'aurais ça, oui."

"Bon ... Elle est pas pourrie aux pliages?"

"Non, elle est roulée sur une vergue."

"On peut pas demander mieux ..."

(Jusque-là, ça peut faire, mais c'est le reste qui est moins drôle. Voyez-vous ça, un bon Gaspésien qui se ferait demander une pareille marchandise et qui serait pas curieux? Surtout que le demandeur a passé l'âge de la pêche, de la barque, et de la voile? Dire que c'est pour un autre? On peut toujours inventer des neveux, quand on est pas connu, rejeter le caprice sur un autre avec un petit sourire condescendant. Mais au Cap, tout le monde me connaît et connaît ma parenté. J'aurais été bien en peine d'inventer un neveu. Pas possible donc, l'affaire aurait été cousue de fil blanc.)

Alors, on aurait continué:

"Mais, dis donc, de la toile à voile, qu'est-ce que t'as envie de faire avec ça?"

"Ah! ben . . ."

Du coup, un gars niaise. Quoi dire? Quoi répondre? Qu'il a trouvé une vieille barque et qu'il veut la gréer à neuf pour aller voguer sur la mer? Du coup, il m'aurait été parlé d'âge, mon âge, mon état de vieillard...)

"Ah! ben, quoi? Des centaines de pieds carrés de voile, c'est de la voile! C'est de quoi garnir une grosse barque . . ."

(Il aurait été bien inutile de continuer. Même en implorant le secret, d'une maison à l'autre on aurait su que je cherchais de la toile à voile, et il y aurait certainement eu un plus fin que les autres pour tout deviner . . . Bon.)

J'en ai jonglé un coup pendant trois jours. Dès que j'arrivais au Trou-Bourdon, je me mettais à l'ouvrage. Je rabotais, je clouais, je posais des ferrements de support.

Il y avait moins de bois coti que ç'aurait été à croire. C'est pas l'eau de mer qui mange le plus le bois, c'est le soleil. On croit le contraire, des fois, si on est pas connaissant du métier, mais prenez mon dire, hausser une barque sur un plein, la laisser sécher au soleil, ça pourrit toute la pourriture qui a été retardée trente ans durant par le sel. Pour les barges vitement faites, par un faiseur pas trop regardant sur le bon sens du bois, trempez la barge à l'eau sa vie durant, elle sera aussi faraude qu'une autre, grimpez-la au sable, une paire de juillets et vous avez une coque morte.

Ma barge à moi, d'un bordage à l'autre, je l'aurais nommée morte. Elle en était loin, mais elle lâchait ici et là. A l'inspecter de près, j'avais décidé qu'elle avait tenu l'eau des temps, dormi sur le sable d'autres temps. Mais en alternant. Une barge montée par un gars lâchant, reprise par un autre, remontée, remise ... Elle était charpentée en épinette rouge, un bois qu'on voyait plus souvent dans nos parages autrefois qu'aujourd'hui. C'est pas pourrissant, ça durcit sans bon sens à l'âge, c'est pas tendre au sel de mer, mais comme tout bois, faut pas l'ensoleiller des années de temps. Ce qui avait pas résisté, sur ma barge, c'était justement les places trop exposées à du soleil de grève, et qui avaient été montées en d'autre bois que l'épinette rouge. Un grand bout du bordage, à bâbord, était en bouleau. C'est tendre, du bouleau, compté. C'est un bon bois pourvu qu'on le soigne à petits gestes.

Tout le temps que je sciais, que je raboutais, que je vrillais, que je rabotais, la toile à voile me partait pas de l'idée.

J'avais un peu espéré qu'il y ait une toilure de rechange dans la cambuse de la barge, à l'étrave. Comme j'étais pas allé voir, j'en avais supposé là tout l'hiver, dans mon idée. Pour vraiment dire, si je m'étais inquiété de ça, j'en aurais jonglé longtemps, et beau dommage que j'en aurais pâti creux au cœur.

Là, quoi dire autrement, les faits changeraient pas. J'étais en train de refaire une coque quasiment bonne à monter aux bancs du Labrador, tout le radoubage que je faisais.

Et une fois calfatée, donc! Mais pas de moteur serviable, pas de toile pour des voiles. C'était toujours pas une embarcation à rames. Aurait fallu dix bras dans le moins pour la faire nager, et pas des bras comme les miens!

C'est fou, hein! comme on peut virer de la tête quand on est poigné par une ambition de vieux comme moi, jusqu'en haut de Rivière-au-Renard, même aller du côté de Grande-Grave, du côté de Haldimand, faire une manière de pacte, ramer notre barque à nous autres, jamais autant à nous autres que cette fois-là. Comme une société secrète de vieux finis, qui défieraient le monde . . .

Parce que, bien entendu, la cambuse de la barque était vide de toile, et que si j'arrivais à hisser un foc et une misaine sur ma barque, ça serait un miracle pas ordinaire . . .

Comprenez aussi que de la toile à voile pour une barge de trente-six pieds, c'est du poids lourd. Je l'aurais trouvée de nuit, en furetant à la chandelle dans des hangars pas à moi, que j'aurais été ensuite bien en peine de la porter à son besoin.

En seulement, les miracles, il s'en est déjà produit, dans notre bas monde. C'est pas réservé aux seuls saints du ciel. On a vu ça, l'impossible arriver, même quand un citoyen tenait le découragement par les deux bouts. Moi-même, dans les hauts temps de ma vie comme dans les creux jusants, ça m'est arrivé de voir se produire l'impossible. Une fois, au large. Ça, j'en jurerai sur tous les Evangiles du monde, puis de toutes les religions que vous voudrez, c'est arrivé comme le soleil arrive à l'horizon tous les matins. On avait viré sur Shippagan, on trollait à voir égal le Gros Rocher et la batture de l'Ile. Ça vous donne une idée, à l'entrée même de la baie, si jamais on inventait une porte de devant pour y arriver.

C'est pas toujours de la bonne mer, dans ce vis-à-vis-là. J'ai vu du remontant, vent d'est plutôt frais, que ça bousculait comme des chiens pour un gigot. On pêchait tant bien que mal, plus ou moins bien, appelons pas ça un succès. Mais on était parti à jeun, j'avais de la maladie coûteuse à la maison, la semaine avait été petite, pas le temps de farfiner. Chaque morue valait son pesant, même si elle était venue fine seule sur une ligne de trolle puis qu'il avait fallu quasiment périr au bordage pour la remonter dans une pareille mer.

Il y a une limite à la prudence, quand on doit trente, quarante piastres qu'on a pas, à terre, puis que le fond de l'eau est couvert de poisson. Y'a du maudit si un homme arrache pas sa survivance à la mer ce jour-là, qu'elle jappe ou braille.

L'homme que j'avais avec moi, c'est Bénoni Babin, un de mes cousins au deuxième, que tout le monde appelait "Betôt" presquement depuis sa naissance, j'ai jamais su pourquoi.

Toujours donc que mon Betôt, qui pêchait à dix pieds de moi sur mon bordage, dans la cambrure d'étrave, tire deux sérieuses morues dans le panneau, s'attentionne à voir comment elles tombaient et me lâche un cri de frayeur:

— On cale!

Ni si pire, ni si vite, mais expliquez-moi le mystère, on a une passe dans la membrure, à ras de quille, à la greffe de l'étrave, que c'est pas joli de voir pisser l'eau.

Là, faites-vous l'idée que c'était pas une avarie facile! En plein large, la mer comme une chicane d'ivrognes, notre petite barge de terre pas plus vaillante qu'il faut ... Non, là vraiment, je me sentais pas le roi du Golfe.

Vitement descendu là, on a tâté le mal, Betôt puis moi, de bord en bord et de long en large. Mais, que voulez-vous faire? ça crevait les yeux. On avait du bordage qui avait lâché, la force de la mer, je suppose, l'eau avait écarté ça, s'était frayé un chemin . . . A mon dire à moi, on en avait pour une heure ou deux avant que ça se démantibule. Jamais assez de temps pour virer vers nos amarres. On calerait à fond de golfe bien avant.

On a pas décidé de se laisser périr, comme de raison. On a bouchonné de la guenille là-dedans, avec ce qu'on appelait nous autres le "compound" noir, à calfater, qui est pas ce qu'il faut pour le grand de la coque, mais qui sert pour les joints de cambuse, pour les vitres de hublot, des affaires de même. Nous autres, on voguait sur le désespoir. L'expérience passée, qui se raconte de haut en bas de la côte, une avarie en plein cul de coque, dans les alentours de la quille, c'est toujours plus que grave. L'embarcation danse dans la mauvaise eau. C'est justement là, dans les pires attaches de la membrure, que la force fesse au plus fort. Ça prend pas des radoubs de dimanche, j'en passe un papier!

Et c'est pourtant bien ce qu'on a fait, Betôt et moi. Un radoub de dimanche. On a bousillé de la guenille, du compound, on a tant bien que mal cloué une planche là-dessus. Au plus, ç'aurait dû tenir une heure, avec de la chance pas croyable. Eh bien! je vous le dis, on a amarré cinq heures plus tard à la petite rade du Forillon, boiteux, va sans dire, le plimsoll dégingandé, mais le bouchon avait tenu!

C'est ça, du miracle!

Dans mes entourages, ça s'est parlé de bonne Sainte-Anne, de frère André, de Saint-Jude, de grande Sainte Vierge, une tribu d'aide de toute sorte de sainteté, des grands, des petits, des frottages de médailles, des brassages de statues, d'images, de scapulai-res ... J'ai jamais été porté sur la superstition. Parlant de miracle, j'attribue ça à une force plus forte que nous autres, pas nom-mée, inconnue, j'oserais dire, qui se charge d'un homme au moment le plus inattendu, et qui s'en occupe honnêtement.

Tout ça pour dire, finalement, que ma grande angoisse vu la toile à voile, sans m'en départir par fatalisme, je l'ai pas lais-sée m'écraser non plus, à m'empêcher la bonne continuation de mon entreprise. Un voyage, ça se fait étape par étape, sur terre comme en mer. Ce qui vaut pour les voyages, ça vaut pour la vie. On vit jour par jour. Vouloir faire autrement, c'est d'être présomptueux. Un homme peut se tracer un programme pour les lendemains, mais il est mieux de pas en faire une obligation. Il va vite découvrir que les lendemains, ça vit quand ils arrivent, pas avant.

Et ça m'a payé tout mon temps d'homme, raisonner comme ça. Même pour la toile à voile.

Je vous explique.

Par le temps que j'ai calfaté la coque de ma barque trouvée, que j'ai radoubé le pontage, solidé les agrès, les jours ont passé. Les semaines, même. L'été est venu sur nous autres comme une fille étrivante qui nous chatouille par en arrière sans qu'on la sente venir.

J'avais devant moi une barque presquement mouillable, qu'on était dans le plus long des jours, à la veille des plus beaux. Nous autres, en Gaspésie, on compte pas juin comme le haut mois, parce que notre saison est pas mal plus courte que la saison de Montréal. Je me suis laissé dire que dans les hauts, déjà au mois de mai ça agit comme en été. C'est de la chance qu'on a pas. Bon an mal an, notre juillet, c'est l'été, le vrai. Déjà, au mois d'août, les nuits fraîchissent, et au quinze on sent venir le froid. J'ai vu de la gelée blanche avant la rentrée des classes. Ça dit tout.

Mais juin peut être beau. Propice à travailler, en tout cas. Moi qui commençais au premier soleil, j'avais de l'air limpide, mais frais, une santé du temps qui valait son pesant d'or. Pas de chaleur écrasante comme à neuf ou dix heures du matin.

Donc, tout allait bien, comme vous voyez, pour la barque et pour moi.

Un matin — vous allez voir comment ça se produit au moment voulu, les miracles! — il m'arrive un homme.

Je vous ai pas dit que l'endroit de cachette de ma barque, il faut avoir de la vocation pour l'atteindre sans connaître les passes et les détours. C'est de la falaise à pic, semblerait-il, du vrai trajet de singe. Bien entendu, quand on connaît les aires, on sait où passer, on sait s'y prendre et on est vite rendu. Mais pour un étranger, un touriste, ça peut être un itinéraire de cochon, parvenir au Trou-Bourdon. Plus encore si on est un campeur de Bon-Ami. Ce qui était le cas de mon homme.

Je l'ai pas accueilli les bras ouverts, la première minute. Quand on est convaincu d'être fin seul, caché à demeure des gens, attentif à un travail secret, on est pas aise de voir apparaître un grand corps d'homme brun, capable comme un jeune dans le voyage sur les récifs de marée basse, qui vient s'échouer à dix pieds de soi dans le Trou-Bourdon, ça je vous l'assure.

J'ai dû paraître raide, il a hésité un peu, debout là devant moi en se demandant si je mordrais ou non. Il a pas agi autrement de tout le monde pour engager la conversation: il a parlé de température. J'ai vite su qu'il était d'ailleurs, qu'il avait pas d'intérêt à me dénoncer au village et qu'il était venu jusqu'au Trou-Bourdon bien par hasard.

— Depuis que j'ai planté ma tente au camping, je pars à marcher quand paraît le soleil.

A force de marcher, à explorer le haut de la pointe, il a été inévitable qu'il me trouve à la fin à mon occupation. Fallait toujours pas que j'en fasse un drame!

Il est venu toute cette semaine-là. On a parlé comme on a pu. Un homme de la ville et un pêcheur de morue, ça manque de sujets à discuter. Finalement, il m'écoutait plus qu'il parlait. Rien de ce qu'il pouvait m'apprendre m'était utile, il l'a bien vite constaté, et de mon côté, je pouvais lui parler de mon folklore, hein! pas beaucoup plus!

Mais même à ça, on arrivait à passer de l'assez bon temps ensemble. Il s'appelait Thibault, qu'il m'a dit. Il était dans le commerce. C'était un veuf sans enfant, et il faisait du camping, comme ça, trois semaines, un mois par année. Jamais à la même place. Il avait été aux Etats, dans le grand Ouest, à l'autre bout du pays, et même en Europe, qu'il disait, avec sa tente et tout et tout. Une sorte d'homme différente de moi comme la morue est différente de la plie.

— Vous avez fait ça, là, planter une tente en plein dans l'Europe, là?

— Oui, monsieur.

— Puis, vous avez pas eu peur?

— Non, pourquoi?

— Loin de chez vous, puis toutes sortes de monde par là, on comprend pas leur parler. Ils auraient pu vous faire du mal?

Il m'avait trouvé bien drôle, il riait.

— Mais non, mais non, j'ai été traité avec une grande politesse par tous les gens là-bas . . .

— C'est pas croyable, hein?

Il me partait pas de l'idée qu'un homme va pas s'installer dans une petite maison de toile pas plus solide que ça, dormir sans défense la nuit, avec tous les étrangers de l'Europe autour de lui, à pas même pouvoir comprendre leur langage si par adon ça se mettait à comploter pour le faire périr.

Toujours qu'on a parlé comme ça, un matin après l'autre, lui et moi. Je m'arrangeais pour discourir en travaillant, je voulais pas me retarder puis revenir au village trop tard rendu dans le matin. Là, je passais pour un coureur de rives avant le chaud du jour, qui revenait faire une sieste dans la balançoire à côté de la maison avant de manger le midi. Une sorte de vieux fou errant, dont personne s'occupait trop trop. Ça faisait amplement mon affaire. D'avoir dérogé à mon roule, à ce moment-là, ma bru était capable d'envoyer quelqu'un m'espionner. Je vivais libre, fallait pas que je mette l'affaire en danger. Et puis, faisant projet comme je faisais projet, fallait pas non plus que j'arrive à terme juste aux premiers frasils d'hiver.

Par chance, mon visiteur du matin a jamais retardé mon ouvrage. Il a même mis quatre ou cinq jours à s'enquérir de ce que je faisais. Vous voyez comme il était ignorant de nos coutumes, il avait pas vu qu'un homme de mon âge radoube pas normalement une ancienne barque, même chez nous.

Non, je lui ai pas décrit mon intention. J'ai été vague, vous savez, en disant la moitié du vrai, et l'autre moitié qui pend en l'air. Il a paru satisfait.

Il m'a fallu une bonne dizaine de jours pour que je mette ensemble l'idée de mon dénommé Thibault et celle de la toile à voile. Lui qui avait éventé mon secret, pourquoi pas le charger de la commission? Lui encore plus que n'importe qui d'autre.

J'ai pas mis de temps à lui en parler. Le lendemain matin, tout sec.

— Me feriez-vous une commission, dans le haut du jour, vous?

J'avais pas douté qu'il refuserait. C'était un homme poli et serviable.

— Avec plaisir, voyons donc!

J'avais abouté mon plan de peine et de misère, parce que rien de tout ça était simple.

D'abord, fallait l'argent. J'en avais quelques piastres à la banque, en masse assez pour acheter de la toile. Mais fallait aller la sortir.

On a pas espoir de le faire ni vu ni connu. Pas par chez nous. Le seul fait pour un homme comme moi d'entrer à la banque, c'est vu à droite et à gauche. Ensuite, de là à poser des questions . . . Je suis certain que si j'étais entré chez le banquier, si j'avais retiré l'argent voulu pour la toile à voile, dans les vingt-quatre heures, le montant pris aurait été connu. Vous voyez le holà qui s'en serait suivi!

Il faut dans le moins deux cents piastres de toile pour gréer une barge de terre, si on veut grouiller dans le vent. Un vieux de ma sorte, qui dépense juste son fumage, deux cents piastres, c'est une somme. Il a pas loisir de la dépenser à tout moment. Ça pique la curiosité, savoir ce qu'il va en faire. C'est pas drôle, vous savez, vivre parmi lc monde, toute sa vie durant, le même monde, je veux dire! On est jamais maître d'agir à sa guise. Et il y a pas pire état que la vieillesse pour se sentir pris dans un filet.

Une chose bien simple, aller à la banque, prendre un peu d'argent. Mais comment le faire sans ameuter le village? Ma bru tout particulièrement, qui me sauterait sur le dos à la première nouvelle?

Comment faire?

Paraîtrait-il que dans mon jeune temps, je passais pour un citoyen-pêcheur qui avait de la jarnigoine à revendre. Que j'avais pas mon pareil pour organiser un bon tour. Fallait que je m'en serve, de ce talent-là, je m'en suis servi.

(Imaginez-vous pas que ç'aurait été simple de donner un chèque à mon touriste, par exemple.. Le chèque, fallait qu'il revienne à ma banque, et pas plus de discrétion que je pouvais en espérer, les questions auraient volé de tout bord et tout côté, au sujet d'un pareil achat à Gaspé. Non, fallait vraiment ruser.)

Les femmes ont souvent l'orgueil de se croire plus habiles que les hommes. C'est pas en dédire que de montrer soi-même, plus souvent qu'on le pense, plus de ruse encore qu'une femme. La supposée ruse des femmes, c'est le grand désir des hommes d'avoir la sainte paix. Dans ma vie, ça été comme ça, et j'ai eu connaissance de la vie des autres, où c'était la même chose.

J'ai donc pensé d'abord à ma bru, et de l'allure qu'il y aurait à me servir d'elle, justement d'elle, et comme à son insu, si vous voyez ce que je veux dire.

Là, vous vous demandez comment je me suis pris? J'admets avoir joué fin jeu, avoir joué plus serré que jamais de ma vie. J'irai jamais jusqu'à dire que c'était une femme imbécile, ma bru. Je la dirais bornée, ça c'est vrai. Mais on peut être intelligent tout en étant borné, savez-vous?

J'ai commencé mon plan un bel après-midi que j'étais assis sur la galerie d'en avant, à fumer ma pipe. Ma bru était venue s'asseoir sur les marches de l'escalier, pour faire du ravaudage. Mon garçon était en pêche, au large, tous les enfants étaient partis ici et là dans le village, à jouer, à bretter à la manière des enfants en été. Tout fins seuls, ma bru et moi, le bon temps de partir mon entreprise.

— Sais-tu? que je lui dis, je viens de me décider de te parler de quelque chose.

— Ah! oui?

Par habitude, on est pas avenant l'un avec l'autre. Je lui en veux pas gros comme le monde. Bru pour bru, elle en vaut d'autres. Seulement, on est pas porté sur le parlage à cœur de jour. Juste ce qu'il faut. Je pense que je l'ai déjà dit. Ce jour-là, elle m'a regardé d'un air grandement surpris. J'avais pris la parole sur une phrase pas mal plus compliquée que d'habitude. Ça allait plus loin que les sujets ordinaires, déjà, et ça la prenait au dépourvu.

— Oui . . . Une chose à laquelle je pense depuis quelques mois. Votre appareil de télévision . . .

Là, vraiment, les oreilles lui ont raidi.

— Qu'est-ce que vous voulez dire?

— Voilà . . . J'ai eu connaissance, à parler ici et là, d'un homme de Gaspé qui ferait censément des grosses barguines. Ça m'a été dit. Pour aux alentours de deux cents piastres, il peut fournir un beau set neuf, de haute qualité.

— C'est la première nouvelle que j'en ai.

— Bon, c'est connu que vous avez pas une grande satisfaction de votre set dans le moment. J'ai raison?

— Ah! pour ça, oui. Si la pêche est pas meilleure cet été, on viendra jamais à bout de le faire arranger.

— Bon, on va voir ce qui peut être fait. J'ai des petites piastres à la banque. J'en ai pas une fortune, juste un peu. Mais ça dort là bien inutilement. Mon idée, c'est d'en sortir deux cents et de vous faire un cadeau.

Du coup, ma bru était tout à l'envers, l'œil mouillé, les mains qui tremblaient.

— Vous êtes généreux, beau-pére!

— J'en profiterai comme vous autres, craignez pas. Moi aussi, je regarde la télévision.

— Merci grandement.

— Irais-tu me sortir un deux cents, deux cent vingt-cinq à la banque? Si je rencontre par adon celui qui m'a parlé de ça, je me ferai indiquer le nom de celui de Gaspé, tu vois?

— C'est quelqu'un de par ici qui vous a dit ça?

— Non, un passant, mais qui vient souvent au Cap . . .

Excitée comme elle était, ma bru a pas insisté pour avoir des détails. Elle a même pas cherché à savoir comment j'irais à Gaspé, ni même si j'irais ou si je ferais faire commission.

Une demi-heure plus tard, elle était changée, peignée, elle avait mon chèque à la main et elle allait à la banque. Vous voyez même là comment une femme est moins astucieuse qu'on pourrait dire. Il y a pourtant bien des curiosités qu'elle aurait pu avoir. Même pas s'inquiéter de savoir pourquoi j'allais pas moi-même à la banque . . .!

Le lendemain matin, j'ai donné commission à mon touriste, mais pas une commission ordinaire. C'est pas un drégail facile à transporter, la toile pour une barque. Fallait la rendre, et j'avais pour ça aussi un plan. Il s'agissait d'abord qu'elle soit achetée, payée, bien légitimement à moi.

Le reste se ferait une étape à la fois.

Pour ça, me fallait une autre complicité.

A Grande-Grave, dans le repli de la falaise, à la marche du chemin, dans les environs d'un mille ou deux de suite après le trécarré, il y a des Jersais; là, leur parler, c'est l'anglais, ils sont pas enclins à fréquenter notre genre de monde. J'aurais peut-être pu tout organiser l'affaire de la toile par l'entremise d'un vieux ou deux que je connais mollement parmi eux autres, mais j'avais honte de les exposer à toutes les questions de leurs gens. On sait ben, même un Jersais, s'il est vieux et retiré comme moi, dans sa maison le roule est pas en sa faveur. Il y a une bru, ou un gendre, même deux parfois, et ça veut tout savoir.

Les meilleures autant que les pires, dans ces parentés-là, ça fait pas confiance à un vieux, ça veut le surveiller comme on surveille un simple, un manque-à-main.

Faisant rendre mon touriste à Gaspé, je gagnais déjà quarante pour cent du secret. La toile rendue et mise à l'abri, le reste serait plus facile pour le Jersais. J'en ai parlé à George Le Bouthillier, un vieux de par là, presque autant vieux que moi, retiré, donné à son garçon, comme moi, fainéant par force, content de s'avoir un brin d'occupation, même si ça dure à peine plus que deux heures.

Faut préciser. Le vieux a un nom qui est

français d'allure, mais c'est un Jersais, il est de langue anglaise. Il a fallu que je cause avec lui en anglais, force des choses.

J'ai assez navigué de petits milles en barque de pêche, à vue du bord ou dans le grand large, que j'en ai appris qui m'aurait échappé en restant à terre. Ça nous surprend pas tant quand on vit la vie. C'est après, vu de loin, vu de haut, qu'on a conscience de pas avoir agi comme tout le monde. C'est dans les affaires qu'on sait. J'en connais pas de plus inutiles une fois amarré à terre pour de bon. Je dis pas ça pour étriver et faire le drôle. C'est vrai comme la table des marées.

Un homme navigue, il voit au moteur de la barque, à la voile de la barque, il a du souci de calfatage, il doit savoir distinguer les couleurs de l'eau, s'en guider par la suite, faut qu'il sache le vrai portant d'une certaine hauteur de vague, vue du ras de la mer, faut qu'il lise dans le ciel, savoir reconnaître les nuages, la couleur du temps, les aires du vent. J'en finirais pas de tout énumérer ce qu'il doit savoir. Bon, disons qu'il le sait, il a mon âge, il est à terre, ça sert à quoi, tout ça? Il va s'en servir où, et quand, et comment, sur les chemins pavés, sur les terrains d'herbe, dans les côtes des monts? Lui, son savoir, il est pour ce qui flotte et bouge. A terre, c'est bien autrement . . . S'il y a un citoyen dur à convertir de son état de marin à un état de terrien, c'est bien un pêcheur de morue. Un pêcheur de morue ou de n'importe quel poisson.

Il a même appris l'anglais. Ça sert à devenir commis de banque ou agent d'assurances, dans nos cantons, mais l'homme de mon âge, on peut pas dire qu'il va s'en trouver redevable. A moins que, tel mon cas chez le vieux Le Bouthillier, ça facilite un projet qui avait pas grand-chose de serviable pour l'avenir d'un pêcheur, mais qui m'était aussi important que le sang dans les veines.

Ce que je connaissais d'anglais, appris à hâler du profit de la mer, j'ai remercié le Bon Dieu de le savoir. J'ai pu vitement faire mon complot avec Le Bouthillier, un comme moi, je gagerais, tellement il a vite compris, vite accepté, vite mis la bonne voile pour m'aider.

Et c'est comme ça que, sans que mon nom paraisse à vrai dire, me servant de l'un, me servant de l'autre, lofant comme autrefois dans des approches vent debout, du temps qu'on naviguait à la voile, un beau jour Le Bouthillier a doublé le petit cap de récif avec son embarcation à rames et, sur la pince, il y avait le gros colis de toile venant de Gaspé, ma misaine et mon foc pour la barque prête à naviguer.

De toile et d'agrès, que je le dise. Même une aiguille à ficelle, du filin, les œillets et la pince à river qu'il fallait pour transformer de la toile brute en belles voiles de mesure, prêtes à hisser au mât et à pointer en oreille sur le beaupré de la barque.

J'en ai remercié des Bon Dieu et des saints, ma foi d'honneur. J'aurais jamais cru à tant de grâce et convenance. Avoir pu, dans mon secret, en tant faire sans être aperçu, croyez-vous pas que ça me coulait en miel du paradis?

J'en méritais pas tant, c'est ça l'inquiétude. En tant qu'assidu aux cérémonies de curé, j'étais douzième sur la liste, sur douze. J'ai toujours été mécréant, roussi d'enfer sur les bords. Pas que je sois un méchant, j'ai compassion de mon prochain et je détruis rien. Les fois où je me suis posé des questions, la réponse a toujours été que je tends à vivre seul dans mon coin, à me mêler de mon affaire. Les grandes jérémiades en foule à l'église, le curé en tête qui secoue des croix ou des ostensoirs, j'ai fui ça. Les fois où j'ai parlé au Bon Dieu on pourrait dire face à face, ça s'est produit sur ma barque, pas de témoin. Lui, sa Mer, et moi, fin seul. On m'a souvent dit que si j'avais eu de la chance de pas naufrager une seule fois dans ma vie, c'était une chance que je méritais pas.

Sur le déclin, j'ai commencé à penser que le juge de la chance, c'est pas notre prochain, mais le Bon Dieu tout seul, sans aide. Faut croire qu'il juge pas de la même manière, ou bien qu'il en oublie dans mon genre, qui se trouvent à bénéficier de soleil quand ils devraient récolter de la tempête.

Les faits sont là. J'ai de la chance. Et j'en ai eu vraiment double largeur avec ma vieille barque à radouber.

Il y a donc un matin de juillet où je me suis trouvé patron sans l'être, d'une barque d'épave, greyée haut en voile, un foc claquant au beaupré, et parée à lâcher son amarre, le fond sec comme un gosier d'évêque, bonne comme elle avait peut-être pas été depuis bon nombre d'années.

Parlons du matin: un salaud de beau matin. De quoi tordre les vouloirs d'homme comme un gros goût de péché. Bleu, maudit qu'il était bleu. Doré, avec des grandes écharpes de soleil à travers le bleu. Pas un caillou des falaises qui était pas visible! La mer étale, toute sa longueur, étendue comme un drap propre sur un lit bien uni. Bleue elle aussi, pas une touche de vert ... J'en avais jamais vu un plus beau.

CHAPITRE

SIXIÈME

J'ai jamais dit, de but en blanc, quelle idée j'avais, de radouber une vieille barque.

Au vrai, quand je l'ai trouvée, la barque, mon contentement a pas eu de raison véritable. Ça me faisait du bien de savoir que je possédais une barque, même si elle était une épave.

Quand, ensuite, je me suis mis à la radouber, le projet a grandi sans trop d'affolement, petit à petit.

Ce qui m'avait en premier frappé au cœur, c'était qu'après dix ans sans travailler, tout fin seul ou presque, à cœur de jour, loin de mon contentement, j'avais une barque, comme autrefois, une barge de terre, même forme, mêmes couleurs quasiment, semblablement formée. Je l'avais à moi, j'en avais crédit de personne, je la devais pas, et j'avais aucun compte à rendre.

Mon idée de radoub, c'était qu'elle soit remise en état, à cause de son mérite.

A cause de son mérite, c'est une grande idée. Il a fallu que je la suce et que je la digère, cette idée-là, pour la découvrir plus grande encore que toutes les idées jamais eues dans ma tête à moi. Le mérite d'une barge, ça devrait s'évaluer.

Je veux dire, s'admettre.

Mais il y en aurait-il, du monde qui l'admettrait de mon même usage?

Bien manque diraient, c'était une bonne barque. Puis ils s'en détourneraient, sur le plein, pas plus émus. Elle a fait son temps, elle a servi son patron, pas utile de brailler parce qu'elle est vieille et qu'elle naviguera plus jamais.

J'avais pas cette sorte de cœur. Je prétends pas être le seul à avoir du sentiment, j'en dirais bon nombre d'autres, de mon âge, qui seraient chavirés de voir une barge ancienne laissée à pourrir sur le plein. Mais parmi les jeunes, le sentiment est différent. D'après moi, c'est quand un jour ils seront vieux et qu'ils verront un chalutier échoué, pourrissant, qu'ils seront émus.

Pour eux, leurs damnés chalutiers, ça compte. A chacun son âge, à chacun ses goûts. Ils méprisent les barges anciennes, c'est leur modernisme. Pensez-vous qu'ils pourraient comprendre qu'on ait, nous autres les vieux, le souvenir des bonnes barges du temps . . .?

En par cas, au tout début, j'ai voulu redonner à la barge son allure du temps, sa flottaison, son état de naviguer. Mais en ce qui me concernait, j'aurais été en peine de savoir pour quelle utilité. De la tendresse, c'est probable, le vouloir de pas laisser périr une barque aussi bêtement que ça. Je savais que c'était de seulement donner un sursis, bien entendu. Finalement, la barque viendrait à périr, mais au moins je serais mort, j'en aurais pas connaissance.

L'autre idée m'est venue plus tard, par en arrière, on dirait, comme si un génie invisible me soufflait des agissements, me suggérait quelque chose de bien précis.

Ah! j'ai résisté, d'abord. On s'est habitué, le long d'une vie, à peser les actes selon certains règlements, certains principes. Vous savez ce que je veux dire. Et tous ces règlements-là, ils proviennent de nos habitudes, de notre roule de vie, de nos obligations, des exigences en général.

Avec le temps, les exigences disparaissent, les obligations diminuent et viennent à rien.

Nos enfants se marient, on arrête de travailler. Première chose qu'on sait, le roule de vie d'autrefois est disparu, on se promène comme une âme en peine, on mourrait demain que ça pleurerait un peu, mais rien changerait à quoi que ce soit. On n'a même plus de règlement, pas pour vrai. Qui c'est qui aurait pu m'empêcher de dormir tous les matins jusqu'à neuf heures? De me coucher, à ma guise, aussi tard que sur les onze heures du soir?

A bien réfléchir, j'apprenais que moi et la barge, on était tous les deux libres. La barge avait perdu son numéro de flotte, et moi bien pareillement. Pas un acheteur de poisson nous aurait reconnus . . .

C'est à partir de ce moment-là, où je me suis vu tel que j'étais, que l'autre projet a tranquillement commencé à se faire dans moi, comme une sorte de beau mal que j'avais pas de peine en toute à endurer.

Et le matin si merveilleux où j'ai eu enfin fini le radoub de la barge, plus rien s'objectait à mon idée. Plus rien en moi, plus rien venait d'en dehors de moi, rien en toute, en toute.

J'étais aux brisants du Trou-Bourdon, j'étais tout seul et libre, et la barge tout pareillement.

Elle était blanche et verte, peinte à neuf. J'avais apporté ma peinture pinte par pinte, cachée sous mon suroît, après avoir été achetée par mon touriste au village, sans faire semblant de rien. Blanche et verte, je l'ai dit, luisante comme une fille à la première communion.

On aurait jamais dit que c'était une embarcation qui avait assez décliné pour venir échouer, à moitié pourrie, sur une grève déserte. Jamais on l'aurait dit vieille assez pour avoir envisagé la mort, la vraie mort des barques, la ruine du calfat et le démembrement des bordages.

Et là, c'était venu au moment même de notre vérité à nous autres. C'est une belle phrase, hein? Elle est pas de moi, elle est du vicaire. C'est un petit jeune prêtre qui s'habille plus en soutane, qui porte des chandails à col roulé, qui parle familièrement aux filles et qui va même prendre son petit coup à l'hôtel. C'est la nouvelle sorte de prêtre. On discutait de ça une fois au magasin, deux ou trois vieux de ma sorte, plutôt habitués à l'ancienne manière des prêtres, et ça serait que l'Eglise catholique a de la misère à les empêcher de défroquer. Paraîtrait-il que dans la nourriture moderne, surtout dans les villes, où c'est que ça mange bien des imitations, ça se trouve à forcer un homme sur l'amour. Vous comprenez ce que je veux dire. Il a la raideur plus facile. Ça affecte les jeunes prêtres comme tout le monde. Ils sont trop attirés vers le mariage, ils arrachent la soutane et vont enseigner pour la Commission scolaire de la place. Ils se marient, ils ont des enfants, c'est pas naturel. Pour les garder, ça se dit que le Vatican les laisse s'habiller à la mode, ils peuvent sortir, parler librement avec les filles, et personne les empêche de se soulager dans le lit, tout seuls, pourvu que ça fasse pas scandale. De même, on arrive à en garder assez pour dire la messe un peu partout et oindre les mourants.

Notre vicaire à nous autres vient de Québec. Il parle gras, il dit des choses qui secouent, des fois. Un dimanche, il avait fait un sermon sur ce qu'il appelait ''la vérité de l'homme''. C'était, on pourrait dire, que l'homme devait se regarder avec franchise, se voir tel qu'il est, pas se prendre pour un autre et puis agir en conséquence. Je l'ai jamais oublié.

Jamais, c'est certain, un homme et une barque se sont trouvés aussi libres, aussi seuls, et autant mis en face de leur vérité.

Voyez-vous? ça fait des années que je pense à mon temps à moi. Il est fini. Il est complètement fini. Je vaux quoi? Qu'est-ce que je fais? Où ça mène, mes journées, une suivant l'autre? Je pense à ma mort. Qui c'est qui pourrait s'empêcher d'y penser? Mon calendrier, je le compte en jours. Il y a pas de mois que je commence en étant certain de le finir. Je regarde le temps du matin, la roseur du ciel, le sens du vent, est-ce que je gagerais de le finir, ce jour-là?

C'est vrai pour tout le monde, bien entendu. Mais le monde occupé, affairé, il y pense pas. L'homme assis, celui comme moi, trouvez-lui quelque chose d'autre à penser!

Mon avis, la barque échouée, si tant est qu'une barque pense, et j'en serais pas surpris, elle aussi se trouvait en face de sa mort. Elle faisait plus rien d'utile, elle pourrait plus jamais en faire. Elle contemplait sa mort. Un temps, elle durerait là, plus jamais serviable, et puis un de ces jours, il viendrait une grosse vague bête qui la démolirait d'un coup, deux ou trois borgades garrochés ici et là, un bout de quille comme un ossement, on dirait, des éclisses de pontage, un arrachis d'étrave . . . La fin.

Pour le monde, ça vient pas par cassure, mais un de ces jours, moi aussi, il viendrait une sorte de souffle invisible et silencieux du Ciel. Echoué sur ma sorte de grève à moi, dans le fond de ma chambre et sur ma chaise dans le coin de la cuisine, je serais garroché vers la mort. D'un coup.

A mon âge, les vieux de ma sorte qui ont navigué le Golfe comme un pétrolier navigue les grands océans, on meurt d'un coup. Comme si on avait un restant d'amarre sur une bitte, que le Bon Dieu trancherait d'un trait.

J'avais décidé, petit à petit, je le dis, puis vers la fin en me dépêchant dru, que la barque et moi on mourrait pas de cette façon-là.

On partirait tous les deux. On s'en irait au large, on revivrait un peu de notre petite histoire de pêcheur pauvre et de barque vaillante. On regarderait un peu notre passé, ensemble. Et on viendrait à périr, avec de l'honneur plein l'âme.

Elle et moi, moi et puis elle, mourir à notre mesure.

CHAPITRE

SEPTIÈME

*A*voir pêché une vie de temps sur les portants du Cap, j'ai surtout connu les eaux de Rivière-au-Renard jusqu'à la Vieille, et tout aussi bien l'envers, à la bouche de la Baie, et en naviguant sur les amers qui vont jusqu'à Saint-Georges de la Malbaie.

J'oublie que plus jeune, dans ma vingtaine, j'ai plus fait de barges de mer que de barges de terre. J'ai même embarqué sur les grosses barques du temps, qui venaient à l'eau douce, qui embauchaient à court d'un homme ou deux, et qui s'en allaient jusque sur les bancs du Labrador, ce qui fait dans les trois mois d'absence. J'ai même rejoint les bancs de Terre-Neuve, un été, une histoire compliquée. On avait échoué en avarie aux îles de la Madeleine. Il y avait une barque des îles qui allait à Miquelon. J'ai monté là-dessus, et rendu là, un gros bateau français qui allait à la morue sur les bancs m'avait pris, en manque de deux ou trois hommes rendus malades à terre. Je passe des détails, mais ça se trouve que j'ai pêché la morue au doris, pour des Français qui avaient pas notre parler en parlant français, et en plus de ça se parlaient un jargon ensemble, que j'ai su être de la langue bretonne.

Tout ça, à vraiment dire, je l'ai volontairement oublié. C'est de l'aventure, c'est de l'équipée. J'ai pas de regret de l'avoir fait, mais ça constitue pas mon roule qui a duré pas loin de cinquante ans.

Pendant cinquante ans, j'ai pêché amont, aval, en bordant dur, ou en flottant mou comme du canot de lac.

Chaud, froid, plaisant comme du vendredi soir de paradis terrestre, mordant comme de la neige de pôle nord . . . j'ai tout connu du temps, tout connu de la mer.

Parlons-en, de la mer.

J'aime entendre les touristes en parler, l'été. Ils viennent au plus doux temps, ils font connaissance avec de l'eau qu'on dirait retenue par des enfants de chœur. Nous aussi, on l'aime, cette eau-là. Je suis le premier à m'exclamer devant un beau jour de mer. Ça, ça veut dire pas assez de vent pour le sentir, l'eau lisse comme du velours, l'air limpide et sec, et trois jours d'affilée de beau temps garanti. Il y a des années où c'est arrivé deux fois. Celles-là, on s'en souvient. Par habitude, dans le plus une fois. La mer qui moutonne pas, ça nous marque le souvenir, tellement c'est rare.

La coutume du temps, c'est de brasser, brasser, de jamais lâcher une embarcation, de la promener comme un bébé secoue son hochois. Ça, c'est l'habitude!

Mais les touristes voient ni le printemps, ni l'automne. Ils aperçoivent la petite mer. Ils en parlent, même il y en a qui écrivent des livres, ou des poésies, et quand ils décrivent la mer, ils la voient polie, gênée. Quand ils en parlent, si par hasard ça leur arrive, en tant que mer en maudit, on voit bien qu'ils ont pas d'idée de ce que c'est que d'y naviguer. Ils la voient dure, mais ils la voient de la rive. Faut la voir du large . . .

Les souvenirs que je voulais renoter avec la barque, avant de choisir notre chemin final. J'avais dans l'idée que ses souvenirs et les miens se ressembleraient. Vous comprenez ce que je veux dire: on prend notre passé pour quelque chose d'unique, jamais pareil à cclui des autres. A fumer une pipe près de la palette du poêle, à renoter notre vie avec un autre vieux pêcheur, c'est là qu'on voit la ressemblance. C'est pas par milliers, les aventures à connaître, quand on a démarré tous les matins, huit mois par année, pour s'en aller au petit large récolter de la morue, de la plie, de la sole et du chien de mer par-dessus le marché.

J'aurai jamais dit que la variété nous écrase. C'est presquement tous les mêmes gestes. D'une semaine à l'autre, à part le caprice de la vague et du vent, le changement est rare.

Bien sûr, moi — et puis d'autres comme moi tout pareillement, faut l'admettre — j'ai quand même été pêcher ailleurs. J'ai pêché autre chose aussi. J'ai pas toujours accroché de la boëtte sur des crochets de trolle. J'ai cagé du homard, j'ai pêché les pétoncles, j'ai seiné le hareng. Ça, c'est pas l'aventure. A moins d'aller le faire dans des eaux qu'on connaît pas, avec du monde étranger qui parle pas comme nous autres, ça vaut pas la peine de le raconter mot à mot.

Ça reviendrait à dire les heures du jour qu'on a pêché à bâbord, et celles qu'on a pêché à tribord. Ça serait pas plus excitant qu'une table de marée.

Seulement, tout est pas dit. Des milliers de jours que c'est du privé entre nous autres et le poisson, et qu'on serait même en peine de trouver une couleur à la mer, ça s'oublie. C'est pour soi le décompte, quand on en calcule le profit de la mer ce jour-là, quand le poisson est pesé et qu'avec la femme et les petits, et le grand-pére s'il a encore du bras et risque pas de se saigner avec le couteau, on se met à trancher les têtes, vider la tripe, équeuter et ouvrir à flancs à sécher sur les vignots.

Raconter trente, quarante ans de cette vie-là, je conviens que ça retiendrait pas l'intérêt longtemps.

Heureusement, il y a autre chose.

On a décosté, la barque radoubée et moi, ce jour-là, sans demander la permission à personne, et sans avoir l'intention de le faire. On demande pas la permission pour aller finir notre dernier bout de chemin. Quand il n'y a pas de retour, quel disputage de bru pourrait nous faire peur? Ce qu'elle aura à dire, on sera pas en état de l'entendre. Chez nous, personne drague le fond de la mer pour remonter des vieux restants de ma sorte. Et les chiens de mer ont vite fait de diminuer à rien ce qui remonte par les gaz du ventre.

Je viens de me confesser raide, hein? Fallait que j'y vienne. Oui, c'était ça, mon projet. Pas si bête, avec ça, pas si fou, pas si dommageable. A vrai dire, quel tort, dites-le! C'est peut-être bien admirable, l'homme qui laisse tranquillement mourir au pacage le vieux cheval qui lui a rendu service toute sa vie. Mais c'est du sentiment. Il nourrit une bête pour rien, pour rien en toute. Et le pauvre vieux cheval est plein de rhumatismes, il a le souffle, il a plus rien de sa force d'avant, il s'ennuie. Surtout, il s'ennuie. Il est là comme un membre inutile. Le monde se souvient de son nom, mais jamais plus personne va lui mettre le mors, passer les traits jusqu'au bacul, tenir les guides dans les mains, puis lui demander de faire quelque chose, même pas tirer un boghei pour la messe. Pour ça, on a le petit cheval noir léger, les pattes fines et le galop provocant dans le pâturage. Jamais il est venu parler au gros cheval à la retraite, ce petit noir-là. Apparence qu'il a rien à lui dire, rien à apprendre de lui . . .

Ce qui vaut pour les chevaux vaut pour les hommes.

Un ancien pêcheur mis à l'oisiveté, qui c'est qui voudrait en apprendre de lui? Entre la trolle et le chalut, il y a la différence entre eux autres et moi. Ils se déchireraient les mains sur les ans de la trolle, et je me laisserais entraîner à la mer par le chalut.

Ce serait mal de m'en aller dans le hangar et me pendre avec de la corde d'agrès qui sentirait le goudron, le sel et le poisson. J'ai pensé à ce genre de mort. J'y ai pensé même plus creux qu'on croirait. Au deuxième hiver de ma retraite, surtout. Mais quand j'ai trouvé la barque échouée, on dirait que dans le derrière de ma tête, sans presque se faire savoir, l'autre idée s'est mise à mijoter. D'abord, ça m'est apparu comme une entreprise, une distraction, de quoi m'occuper le bras, la vaillance et la jarnigoine. La jarnigoine surtout.

Après, plus tard, quand j'ai vu que je réussirais mon radoub, tranquillement, hypocritement, l'idée m'est venue que la barque et moi, un beau matin, elle peinturée et fringante à nouveau, et moi changé sur mon dimanche, on pourrait aller revoir la mer du large, dire des bonjours, revivre des souvenirs, et puis, à la fin des fins, oublier de revenir.

D'abord, qu'est-ce qu'on serait revenu faire à terre?

Mourir de pourrissement, elle et moi?

Ça convient de pourrir après la mort, pas avant, pour les barques et pour les hommes. La mort d'honneur, au naufrage, c'est ça qui importe, non?

On est donc parti, elle et moi, ce matin-là.

J'ai toujours eu de l'attachement pour mes barques. J'en ai passé, pour vraiment dire, trois. La première que j'ai achetée, elle avait son âge. Moi, j'étais jeune, elle était vieille. Elle m'a appris mon premier savoir en tant que patron. Vous riez parce que vous voyez ça comique, une barque qui enseigne à un homme . . . Sachez que pas une embarcation est vraiment pareille à l'autre. Pas une barque de pêche, en tout cas. Celles de mon temps à moi, elles avaient été fabriquées une par une, par tout un chacun, la plupart du temps par le pêcheur lui-même, selon son besoin. Le plan, j'admets qu'il était semblable.

Mesure de bordage, de tirant d'eau, courbe de la quille, grosseur des membrures, minceur d'étrave, épanouissement de la poupe. On dit deux pieds, trois pouces, sept huitièmes, mais une fois scié, une fois raboté, une fois en place, c'est pas précis comme un mouvement d'horloge faite en Suisse, comme on dit. Une petite différence ici, une autre là, une imagination d'un gars qui en met ou qui en ôte . . . Le résultat, c'est que selon la mer qu'on navigue, une barque va se comporter à sa manière à elle. Jumelle de cent barques de même tonnage, mais possédant ses propres caprices bien à elle.

Pour un homme qui a barré toutes sortes de barques durant quatre ou cinq ans à naviguer comme matelot au lieu de capitaine, il a pu apprendre justement la variété des caprices. Mais quand il prend sa barque à lui, la sienne de bien et de vaillance, c'est pas une petite partie des caprices qu'il a à apprendre, au jour le jour, mais tout le caractère de la barque, et elle met pas de temps à lui entrer ça dans la jugeotte. Et si c'est une embarcation qui en a le moindrement, c'est des semaines et des mois qu'il faut pour venir à la naviguer sainement, avec la sûreté de revenir accoster après toutes les sorties.

Ça fabrique la différence entre un bon maître de barque et un mal-à-main qui s'accroche, s'échoue, bouscule les quais, cante à périr dans le moindre vent imprévu.

C'était ma première barque. Elle m'a surtout appris, peut-être parce qu'elle avait cent caprices là où une autre en aurait eu dix, à avoir du sentiment pour mon embarcation. Je m'en cache pas, de la tendresse.

Par exemple, une petite manière qu'elle avait. Si, en entrant dans la rade du Forillon, qui est pas large, j'avais un foc bien dehors et une demi-misaine dans le vent, pour la placer d'aplomb sur l'entrée, au lieu de barrer, je lofais deux pieds de vergue. Au contraire d'obéir du cul comme elle aurait dû et s'enligner sur la visée, elle faisait comme une petite embardée, un petit pas de côté, le cul relevé du coin, et s'en allait trop loin à l'opposé. Paraît-il qu'elle était trop lourde de bois de bordage entre l'étrave et l'étambot. Son constructeur avait mis la main sur de l'épinette rouge, s'en était trouvé tellement fier qu'au lieu de rétrécir le bois à sa suffisance au milieu, il l'avait laissé d'épais-

seur, deux pouces de plus. Rien, à l'œil, aurait fallu calibrer avec l'outil pour se douter
de l'erreur. Pour tout le reste, ça influait pas
sur le comportement de la barque, mais dans
cette manœuvre-là en particulier, fallait user
de la barre, jamais de la vergue et de la
voile. Rien de conséquent, seulement le risque de venir frôler le mur de rade, mais
assez pour qu'un patron reste bien alerte pré-
cisément là, à peu près cent pieds avant l'entrée, surtout avec un vent de norois pris en
lof.

Vous pensez pas qu'une barge qui vous
fait ça, surtout un beau soir, au bas soleil,
quand la mer a des reflets de paradis terrestre, que la vague cassée miroite en arrière
de la barge et que vous la faites délibéré-
ment valser comme ça, vous pensez pas que
ça soulève une grosse respiration de tendresse dans le cœur?

J'ai aimé ma première barque, j'ai aimé
toutes les autres. Jamais pour les mêmes
causes, bien entendu, et je pourrais parler
dix jours de temps de chacune, toutes les
raisons que j'ai eues d'en être fier, de les
aimer dans toutes leurs manières de navi-

guer, de m'aider, de me servir, et de toujours me ramener intact au quai . . .

Sauf une, mais c'est ça, le premier souvenir
que ma dernière barque et moi on est allé
revivre.

CHAPITRE
HUITIÈME

*C*e souvenir-là, et les autres de même genre.

Pour dire, ils sont assez rares. Ma vie de pêcheur, c'est plutôt comme un grand souvenir global, vous savez, l'ensemble qui fait que j'en ai de la plaisance quand je me mets à songer.

Les deux ou trois grands événements, je les considère comme des étapes, on pourrait dire. Un homme suit son roule d'une saison à l'autre, petitement, sans trop se forcer. Par le temps qu'il a fini, à regarder en arrière, il voit plutôt son jour le jour. Ce qui a pu lui arriver de spécial, on dirait que ça ressort comme des grands points tournants.

Je parlais, par exemple, d'une barge qui aurait pas été comme les autres, et qui vaut que je m'en souvienne, de celle-là, par-dessus tout.

Il m'avait été dit que c'était une barque hantée. Faut pas rire, des légendes comme ça, il s'en raconte à plein, dans toute la Gas-

pésie. C'est le pays des histoires de fantô-
mes. Et la barge en question, une petite
barge de terre de moins de quarante pieds,
plus ventrue que les autres, plus hardie il
s'en manque, jamais en péril, jamais déloya-
le à son maître, tout le monde la connaissait.
Même moi. Elle avait appartenu à Clovis
Giasson, de par en haut. Il était mort d'une
syncope, au large, et soi-disant que la barge
l'aurait ramené d'elle-même jusqu'au bord.
Ça, c'est le dicton.

Ensuite, la barge aurait été vendue à un
nouveau patron, par la femme à Clovis. Mais
là, le bal aurait commencé. La barge était
hantée. C'était ce qui s'est mis à se dire, un
patron après l'autre. Jamais un homme a
gardé l'embarcation à lui plus qu'un mois ou
deux. Quelle hantise? C'était ça, le mystère.
Jamais vraiment la même. Mais toujours du
reproche. On pouvait croire que Clovis
Giasson avait du ressentiment d'être mort.
C'est l'indication que ça donnait.

Un homme partait dans la Jenny, la barque à Giasson, il allait au large, lâchait des
trolles, une heure plus tard, à moitié des
trolles détachées. Ou encore la barque en
dérive. Sur un beau cap bien mis, une belle

journée pour la manœuvre, se distraire un peu, et se retrouver à deux, trois milles en dehors de la course.

Moi, j'ai acheté la barque par défi, un peu. J'étais en besoin d'une embarcation plus grosse que celle que j'avais, la barque à Giasson était à vendre par son patron du temps, je l'ai achetée.

J'ai été en péril souvent, j'ai survécu des moyens coups de chien dans le Golfe. J'en ai connu de toutes les sortes. De la vague de vent coulis que ça paraissait pas grouiller et que ça emportait les barques comme des allumettes. J'ai vu des hauteurs de vague pas croyables. Secoué comme pris dans une main de géant, entraîné comme dans des courants de géant. Je vous le dis, de toutes les forces, de toutes les formes, les vagues de ma vie. Mais dans le pire des pires, j'ai toujours pu faire confiance à ma barque. Jamais avare de vaillance, de la force, du muscle.

Mais dans la barque à Giasson, la première tempête, j'ai vu l'heure de mourir. De toutes les barques, c'est la seule qui voulait carrément lâcher. Mais d'une façon bien spéciale. J'avais le sentiment que c'était pas pour naufrager qu'elle faisait ça, ni même pour me faire noyer. On aurait dit qu'elle voulait nous faire peur, nous faire assez peur qu'on débarque en accostant, pour jamais rembarquer.

La fois, la pire fois, où c'est arrivé que j'ai compris le manège, je me suis mis à crier à Giasson. Je l'avais pas connu intimement, mais on s'était rencontré ici et là, à l'occasion, à prendre une bière ensemble à l'hôtel.

Là, au milieu de la mer, dans le grand vent et la tempête, avec la barque qui dansait comme un canot, j'ai dit à Giasson:

— Fais-le savoir une fois pour toutes. T'es rendu à écœurer tout le monde avec ta hantise. Un homme paie des piastres pour ta barque, des piastres durement gagnées, puis t'es pas assez honnête pour lui en laisser jouissance. Décide-toi. Veux-tu la faire périr, ta barque? Agis en conséquence. Si c'est rien que le caprice de faire peur aux patrons qui la naviguent, dis-le aussi. On saura à quoi s'en tenir. Comme c'est là, t'agis comme un enfant. Je peux pas croire que mourir, ça ramène en enfance. Dis-le ce que tu veux, dis-le vite.

Je devais avoir l'air passablement fou, debout au milieu du pont, à crier dans le vide, le poing en l'air. Je jurerais quasiment que j'ai entendu rire Giasson dans le fond du vent. Tout de suite la barque s'est calmée, elle a navigué comme navigue une bonne barque dans le méchant temps, je l'ai mise à cap, elle est restée braquée sur son amer et j'ai jamais plus eu d'ennuis.

Je l'ai pas gardée longtemps, quand même, elle était pas tout à fait assez grosse et j'avais envie d'une barge de mer pour aller au meilleur poisson du large.

Mais, tout le long de la côte, vu que la barque à Giasson a plus jamais été hantée, les gens m'ont regardé d'un drôle d'air pendant longtemps. Ça se chuchotait d'une place à l'autre que j'étais un exorciseur, une sorte de magicien.

Dans les autres choses qui me sont arrivées, il y en a une ou deux, à part celle-là, qui sont assez mystérieuses, mais n'importe quel navigateur raconte que c'est pas toujours des choses explicables qui nous arrivent.

Une fois, dans la brume, un vrai grand drap blanc sur la mer, avec mes trois hommes à bord, on a vu de quoi que personne de nous autres a jamais expliqué.

Même, on a évité d'en parler. Quand les gens se sont étonnés qu'on ait pu partir de dix milles au large, dans une pareille brume, et venir entrer en droite ligne dans la petite rade du Forillon, on a rien dit. On a fait les connaissants, les bons pilotes, les avenants pas pour rire.

La vraie vérité, c'est que le miracle nous est venu. C'est pas la première fois qu'il arrive. Il est raconté tout au long de la côte, soi-disant arrivé à des anciens, bien avant nous autres. Il m'est arrivé à moi, et j'en ai dit des chapelets, la nuit, en mer, pour remercier le Bon Dieu.

Ce qui s'est passé? Il est apparu un petit enfant habillé en blanc, juste en avant du bateau, trois ou quatre brasses en avant. Il nous souriait. On aurait dit qu'il n'y avait plus de brume entre lui et l'étrave, et que ça faisait comme une belle lumière dorée. Il nous a fait signe, on a parti le moteur, on l'a suivi dix milles de temps. Il s'en allait devant nous autres, en marchant sur l'eau, à petits pas . . .

On lui a fait confiance, il nous a sauvés.

Comme il en a sauvé d'autres.

Juste au moment d'apercevoir la rade du Forillon, il nous a fait bonjour avec un beau sourire et il est disparu, comme ça.

Dix milles de temps, il s'était pas dit un mot sur la barque. Il s'en est pas dit gros après, non plus.

Avec ma barque radoubée, comme je connais mes nords dans le cas du discours à Giasson, et de la place où le petit enfant blanc est venu nous chercher, je me suis rendu visiter les endroits. Comme une sorte de pèlerinage. Sans compter que je voulais parler à Giasson et au petit enfant.

A Giasson, j'ai dit:

— Manquablement, mon vieux Clovis, on va se revoir tout à l'heure. J'ai pas d'idée si on va être au même étage. Si on l'est pas, je voulais te remercier une dernière fois de m'avoir écouté dans le temps. Tu m'as évité un paquet de troubles.

Au petit enfant blanc, j'ai dit:

— Attends-moi, Ti-gars, je te dois des becs à pincettes, j'm'en viens te les donner. Le temps de deux ou trois petites visites, puis j'arrive.

Les autres places où je suis allé, je croyais pas qu'elles soient intéressantes pour le monde. Des choses qui me regardent, moi, bien directement, bien intimement. Des avaries qui m'auraient fait peur, dans le temps, des rencontres drôles, comme la fois que Médard Babin trollait comme un diable, sans se rendre compte qu'il dérivait dans un courant plutôt hargneux. Je le voyais venir sur moi, mais je disais rien. On avait commencé à pêcher le même banc à une dizaine d'encâblures, mais là on était quasiment cul à cul, pas plus qu'une trentaine de brasses, et le courant m'amenait toujours Médard. Finalement, il arrive, toujours attentionné à son ouvrage de remonter les trolles. Nos barques se toquent, rien de grave, mais mon Médard tombe sur le dos, bascule dans la soute . . .

Imaginez ce que ça peut être, à se débattre dans deux tonnes de morues bien glissantes. Par chance que le garçon de Médard pêchait avec lui ce jour-là, il a pu sortir son pére. Autrement, le pauvre homme aurait glissé jusque dans le fond du fond, toute la morue par-dessus lui.

Ça, que voulez-vous? ça vaut pas la peine de raconter. Comme ça vaut pas la peine de raconter la fois, au large à quasiment pas voir la côte, que mon garçon a vidé le bidon d'eau dans le réservoir du moteur, au lieu du bidon de gazoline . . .

Oui, on a ramé. On garde toujours un grand aviron pour remplacer le gouvernail en cas d'avarie. C'est avec ça qu'on est revenu au bord. Un long voyage, pas reposant en toute!

Mais pourquoi le raconter? J'appelle ça de l'aventure personnelle qui peut pas intéresser tout le monde, s'en faut . . .

Une chose, par exemple, que je tiens à dire. C'est une des plus importantes. C'est peut-être la plus importante de toutes. Et ça tend à prouver que même si on a pas toujours mangé à notre faim, même si on a pioché dur, en tant qu'homme, en tant que pére de famille, il est arrivé souvent que le Bon Dieu a été bon pour nous autres.

Comme disait un des plus vieux pêcheurs de la côte, une fois:

"Faut pas s'attendre à ce que le Bon Dieu nous gâte à outrance. Il nous a déjà donné la mer et le paysage de la mer, c'est un cadeau qui revient pas à tout le monde, ça!"

Moi, pour ma part, je me suis vécu une bonne vie, si on prend tout à la fois. Et j'ai pas souvent demandé l'aide du Bon Dieu. Autant que possible, pour pas le déranger, je me suis débrouillé tout seul. Et pas si mal que tout ça.

Mais il y a une fois où j'ai senti que le Bon Dieu était pas loin derrière.

Ma femme était encore jeune, capable d'avoir d'autres enfants. Seulement, il lui est venu comme une sorte de gros tumeur dans le corps, une affaire effrayante que même le médecin avait peur. Fallait l'opération au plus vite, à l'hôpital de Québec. J'avais pas d'argent. J'en avais à peine pour suffire au roule du jour. Du crédit, je pouvais toujours en avoir un peu, mais fallait pas penser à de quoi faire opérer ma femme.

Je vous dis ça simplement, je vous épargne les braillassages. C'est pas mon genre de fatiguer les gens avec mes lamentations. Ce que je veux que vous compreniez, c'est que mon affaire allait mal, ma femme était gravement malade et j'aurais été bien en peine de savoir comment je m'en tirerais.

Je suis allé en mer, pas mal au large de Rivière-au-Renard, une place bien exacte, dont je me souviens aujourd'hui que je pourrais aller y mettre une bouée tellement c'est clair dans ma tête où j'avais trollé cette semaine-là.

Eh bien! oui, pendant dix jours j'ai remonté des pêches miraculeuses. Pas seulement des bonnes pêches, comme ça arrivait dans le temps, une tonne ou deux de bonne morue large, mais pleins bords, dans les cales, sur le pont, à plus savoir où mettre la morue. Des tonnes et des tonnes et des tonnes, assez pour que, le poisson pesé et payé, tout le profit étalé sur la table, il y en avait assez pour envoyer ma femme à l'hôpital et vivre en plus trois semaines, nous autres qui restaient au Cap.

Personne me blâmera, aujourd'hui et ce qu'il signifie pour moi, d'aller là, à la place de la bonne pêche, rapport que c'est mon plus beau souvenir, mon plus fort, mon plus émouvant.

La barque et moi, après être allés à toutes les autres places qui comptaient, on est allé à celle-là qui comptait encore plus que toutes les autres.

Et là, j'ai fait ce qui était à faire.

Pendant une dizaine de minutes, j'ai parlé à ma barque. Je lui ai dit pourquoi je l'avais mis belle de même, et j'ai senti qu'elle comprenait. Que pour elle aussi, c'était important de pas pourrir sur une grève, la petite mort jour par jour.

Dans le fond, il y a toujours un drain, une sorte de bouchon de bois qui est laissé là pour vider la barque quand on la monte sur le plein, l'automne. J'avais apporté un poinçon et une mailloche. J'ai sorti le bouchon du drain, puis je suis revenu m'asseoir à la barre, la voile était montée, la vergue centrée, le foc libre, pour que la barque dérive le moins possible. J'entendais glousser l'eau dans le fond. Lentement, la coque s'est abaissée sur l'eau, à mesure que la cale se remplissait. Une fois ou deux, la barque a craqué dans la vague. Je pense qu'elle me disait quelque chose.

Probablement merci.

Comme je disais merci au soleil de nous donner à tous les deux un si beau jour pour mourir.

Il a fallu seize minutes, je les ai comptées à ma montre, pour caler complètement.

Sans que personne soit en mer, à portée d'yeux, pour venir nous rescaper contre notre gré.

FIN

CRITIQUE

Et tel est *le Dernier Havre* : l'histoire d'une dissolution mais d'une dissolution voulue, et même organisée, par celui qui va l'être. Le vieil homme de Thériault, tout relégué qu'il soit et qui pourrait dans cet abandon être pourtant encore heureux, va chercher l'instrument de sa mort, une barque ; cette barque est vieille comme lui, il va la réparer ; il va la réparer sans que personne ne le sache ; c'est-à-dire à la main ; c'est-à-dire avec beaucoup de mal. Au fond, voilà que s'éclaire mieux ce que voulait nous dire Yves Thériault : l'homme est fait pour mourir dès sa naissance, dès sa naissance il prépare sa mort comme un voleur, dans le plus grand secret.

Jean Basile
Le Devoir, 17 octobre 1970

Donc, dans *le Dernier Havre*, un vieux pêcheur gaspésien de Cap-des-Rosiers. Un vieux pêcheur de quatre-vingt (*sic*) ans ou un peu plus (p. 11), veuf, qui a cessé d'aller à la pêche voilà dix ans (p. 105). Plutôt, qu'on a mis au rancart contre son gré (p. 20), qu'on laisse de plus en plus seul avec ses pensées, à qui la bru laisse de moins en moins de place (p. 13) dans la maison qui fut la sienne et qu'il a donnée à son fils. L'art de faire comprendre à un homme qu'il est dorénavant plus près de la mort que de la vie. (...)

(...)

(...) Déjà tout à sa mort, le vieux pêcheur va finalement mourir réconcilié avec la vie mais surtout avec lui-même. Réconcilié comme aucun autre héros de Thériault ; car la mer, ici comme dans *les Temps du carcajou*, n'est qu'un très grand et très beau prétexte. Ce qui compte c'est l'homme face à lui-même, face à sa vérité (p. 109) ainsi que le dit le vieil homme en empruntant une phrase du jeune vicaire du village. Dès lors que tout aura été décidé ou accepté, le vieil homme partira avec sa compagne, procédera à la reconnaissance en mer de quelques lieux qui ont marqué son existence, puis, après quelques mots à sa barque et un dernier salut au soleil, minutera le temps de son naufrage.

(...)

(...) Thériault qui se livre ouvertement, sans porte-parole indien ou autre dans *le Dernier Havre*. (...) Et qui semble avoir fait la paix en lui-même entre l'idéaliste et le moraliste, entre le créateur de surhommes et le créateur d'hommes.

Rénald Bérubé
Livres et Auteurs québécois, 1970

PRINCIPALES OEUVRES D'YVES THÉRIAULT

Contes pour un homme seul, Montréal, Éditions de l'Arbre, 1944 ; HMH, 1965.

Le Marcheur (pièce de théâtre créée en 1950), Montréal, Leméac, 1968.

La Fille laide, Montréal, Beauchemin, 1950 ; Éditions de l'Homme, 1965 ; Quinze, 1980.

Le Dompteur d'ours, Montréal, Cercle du Livre de France, 1951 ; Éditions de l'Homme, 1965 ; Quinze, 1980.

Les Vendeurs du temple, Québec, Institut littéraire du Québec 1951 ; Montréal, Éditions de l'Homme, 1964 ; L'Actuelle, 1973 ; Quinze, 1980.

La Vengeance de la mer, Montréal, Publication du lapin, 1951.

Le Samaritain (radio-théâtre, 1952), Montréal, *Écrits du Canada français*, tome IV, 1958.

Aaron, Québec, Institut littéraire du Québec, 1954 ; Paris, Grasset, 1957 ; Montréal, Éditions de l'Homme, 1965 ; L'Actuelle, 1971 ; Quinze, 1980.

Agaguk, Québec, Institut littéraire du Québec, 1958 ; Montréal, Éditions de l'Homme, 1966, 1971 ; Quinze, 1980.

Ashini, Montréal, Fides, 1960, 1965, 1970, 1978, 1980.

Roi de la Côte Nord (la Vie extraordinaire de Napoléon-Alexandre Comeau), Montréal, Éditions de l'Homme, 1960.

Cul-de-sac, Québec, Institut littéraire du Québec, 1961 ; Montréal, L'Actuelle, 1970.

Amour au goût de mer, Montréal, Beauchemin, 1961.

Le Vendeur d'étoiles (et autres contes), Montréal, Fides, 1961.

Les Commettants de Caridad, Québec, Institut littéraire du Québec, 1961 ; Montréal, Éditions de l'Homme, 1966.

Séjour à Moscou, Montréal, Fides, 1961.

Si la bombe m'était contée, Montréal, Éditions du Jour, 1962.

Le Grand Roman d'un petit homme, Montréal, Éditions du Jour, 1963.

Le Ru d'Ikoué, Montréal, Fides, 1963, 1977.

La Rose de pierre (histoires d'amour), Montréal, Éditions du Jour, 1963.

Les Temps du carcajou, Québec, Institut littéraire du Québec, 1965 ; Paris, Laffont, 1966 ; Montréal, Éditions de l'Homme, 1969 ; L'Actuelle, 1976.

l'Appelante, Montréal, Éditions du Jour 1967 ; Libre expression, 1979.

Kesten, Montréal, Éditions du Jour, 1968 ; Libre expression, 1979.

La Mort d'eau, Montréal, Éditions de l'Homme, 1968.

L'Île introuvable (nouvelles), Montréal, Éditions du Jour, 1968 ; Libre expression, 1980.

Mahigan, Montréal, Leméac, 1968.

N'Tsuk, Montréal, Éditions de l'Homme, 1968 ; L'Actuelle, 1971.

Antoine et sa montagne, Montréal, Éditions du Jour, 1969 ; Libre expression, 1980.

Tayaout, fils d'Agaguk, Montréal, Éditions de l'Homme, 1969.

Textes et documents (choix de textes, présentation et documentation par Rénald Bérubé), Montréal, Leméac, 1969.

Valérie, Montréal, Éditions du Jour, 1969.

Frédange, suivi de *les Terres neuves* (théâtre), Montréal, Leméac, 1970.

Le Dernier Havre, Montréal, L'Actuelle, 1970.

La Passe-au-Crachin, Montréal, René Ferron éditeur, 1972.

Le Haut-Pays, Montréal, René Ferron éditeur, 1973.

Agoak (l'héritage d'Agaguk), Montréal, Stanké, 1975, 1979 (coll. 10/10).

Moi, Pierre Huneau, Montréal, HMH, 1976.

Oeuvre de chair, Montréal, Stanké, 1976.

Le Partage de minuit, Montréal, Quebecor, 1980.

La Quête de l'ourse, Montréal, Stanké, 1980.

La Femme Anna et autres contes, Montréal, VLB éditeur, 1981.

L'Étreinte de Vénus (contes policiers), Montréal, Quebecor, 1981.

ÉTUDES CRITIQUES SUR THÉRIAULT

BÉRUBÉ, Rénald, « Yves Thériault ou la lutte de l'homme contre les puissances obscures », dans *Livres et Auteurs canadiens 1968*, p. 15-25.

BÉRUBÉ, Rénald, « Yves Thériault ou la recherche de l'équilibre originel », *Europe*, nos 178-179 (fév.-mars 1969), p. 51-56.

BÉRUBÉ, Rénald, dans *Livres et Auteurs québécois (Revue critique de l'année littéraire)*, Montréal, Éditions Jumonville, 1970, p. 30-32.

BESSETTE, Gérard, « Le primitivisme dans les romans de Thériault », *Une littérature en ébullition*, Éditions du Jour, 1968, p. 111-216.

BROCHU, André, « Yves Thériault et la sexualité », *l'Instance critique*, Montréal, Leméac, 1974, p. 133-155.

ÉMOND, Maurice, *Yves Thériault et le combat de l'homme*, Hurtubise HMH, Les Cahiers du Québec, 1973.

JACOB, Roland, « Yves Thériault, romancier », *Revue de l'Université Laval*, vol. 17, no 4, décembre 1962, p. 352-359.

MÉNARD, Jean, « Yves Thériault ou l'évolution d'un romancier », *La Revue dominicaine*, vol. 66, no 2 (1960), p. 206-215.

SIMARD, Jean-Paul, *Rituel et langage chez Yves Thériault*, Fides, 1979.

Québec 10/10